성숙 자본주의

성숙과 퇴행, 기로에 놓인 한국경제

우석훈 지음

성숙 자본주의

성숙과 퇴행, 기로에 놓인 한국경제

1부 : 성숙 자본주의의 길

3부 : 생태경제는 생명경제다

4부 : 박근혜 시대 살아가기

1부 : 성숙 자본주의의 길

2008년 이후로 전 세계가 새로운 경제 패러다임을 찾아 헤매고 있는 것은 사실이다. 케인즈 시대로 복귀할 것인가, 아니면 또 다른 무엇을 만들 것인가, 그 사이에서 우리 모두는 고민 중이다.

성숙은 포유류의 특징이고, 이러한 포유류에서 인간이 등장하게 되었다. 초기 자본주의는 공룡처럼 되기를 추구하였지만, 어느 단계에서는 포유류의 모습으로 진화하게 된다. 그렇지 못한 경제는, 마치 중남미의 경제들의 그러한 것처럼 결국 스스로 서지 못하는 상황으로 위기를 맞게 된다. 그렇다면 우리의 현재와 미래는? 지금 우리에게 성장이라는 질문이 1차 질문인가, 공룡에서 포유류로 전환하는 성숙이 1차 질문인가? 내 생각에 대답은 너무 뻔하다.

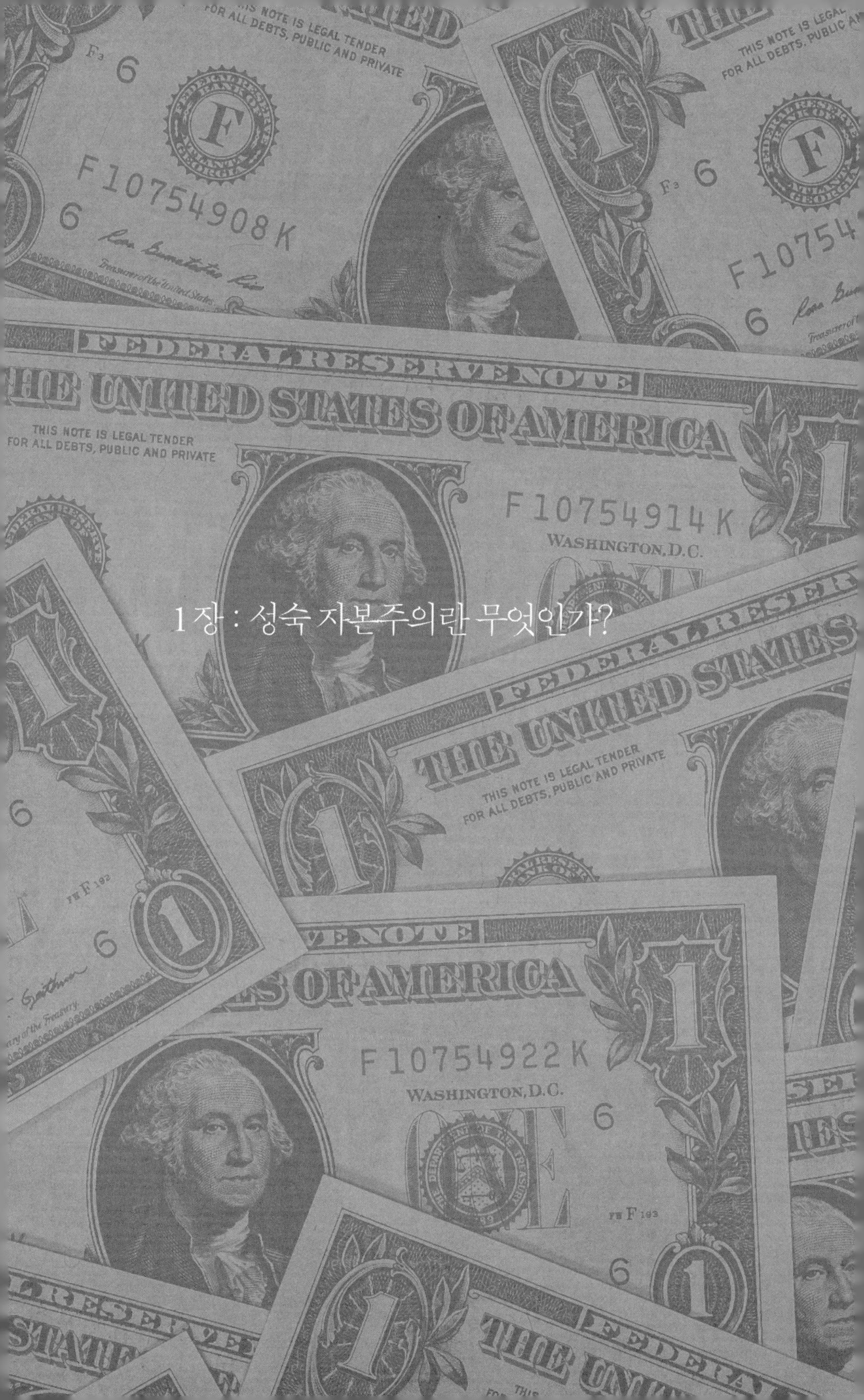

1장 : 성숙 자본주의란 무엇인가?

1.

올해로 책을 쓰기 시작한 지 10년째이다. 10년 전 이맘 때, 두 번째 책의 원고에 들어갈 성장률 지표를 한참 정리하고 있었고, 러시아 출신 미국 경제학자로 노벨 경제학상을 받은 쿠즈네츠의 방법론에 따라 건설투자의 비중을 다시 계산해 보고 있었다. 그리고 어느덧 10년이 지나갔다. 나도 내가 이렇게 오랫동안 책을 쓰게 될지는 미처 몰랐었다. 나는 경제학자로서 평생을 살고 싶지는 않았다. 원래도 눈이 나빴지만 노안도 일찍 시작됐다.

10년 전 나는 표만 잔뜩 있는, 산처럼 쌓인 종이더미를 한 번만 봐도 그 안에서 특이 사항이나 통계 속임수 같은 것을 딱딱 짚어 냈다. 하지만 이제는 아니다. 나도 나이를 먹었다. 눈이 안 보이기 시작하고, 흰머리가 난 지도 좀 된다. 실제로 나는 이미 몸의 상당 부분이 영화와 동화 쪽으로 넘어갔다. 여전히 많은 경제학자들을 만나고는 있지만, 어느덧 충무로에 있는 동료들의 비중이 커졌다. 그들과 같이 한 세 번째 영화 시나리오가 한참 마무리 중이다. 아마도 내 주변

동료들이 '우석훈'이라는 한 사람의 인생을 대표할 작업은 SF, 판타지 미래 소설이 될 거라 생각할 것이다. 가만히 생각해 보면, 내가 뛰어넘고 싶었던 사람은 케인즈나 마르크스 혹은 아담 스미스 같은 경제학자가 아니었다. 정말로 가슴에 손을 얹고 생각해 보면, 프랭크 허버트의 〈듄〉이나 아이작 아시모프의 〈파운데이션〉 같은 걸 만들어 보고 싶었던 게 내 삶이다. 대학에 경제학과로 진학한 건, 그냥 점수 맞춰서 간 거다. 경제학자로서의 특별한 꿈은 가져 본 적이 없다. 박사가 된 것은, 별 재주도 없고, 그렇다고 별나게 하고 싶은 것도 없던, 그냥 안이하게 살았던 인생의 결과이다. 재벌 시절의 현대에서 일을 시작해서 정부 기관으로 간 일련의 삶, 결국 먹고는 살아야겠기에 월급쟁이가 된 것이다. 그 이상도, 그 이하도 아니다. 거기에 생활인으로서의 삶, 그 외에는 아무 의미도 없다.

과연 내가 살면서 꿈을 가져 본 적이 있었던가? 당위적으로 혹은 논리적으로 생각한 적은 있지만, 내 인생을 바꿀 만한 그런 심각한 꿈은 한 번도 가진 적이 없는 것 같다. 여전히 난 되는 대로 살고 있다. 길이 막히면 돌아가고, 실패하면 쉬었다 간다. 누가 부탁해서 타당한 이유면 도와주고, 별 타당하지 않은 이유라면 못 도와준다고 말한다. 그리고 가능하면, 이 하루하루의 일상을 명랑하고 재밌게, 그렇게 꾸리려고 한다.

"어려운 공은 치지 않고, 잡기 어려운 공은 포기하는……"

박민규의 소설 『삼미 슈퍼스타즈의 마지막 팬클럽』에 나오는 구절이다. 어찌 보면, 내가 지금까지 이런 자세로 살았던 것인지도 모른다. 모르는 건 안 하고, 재미없는 건 안 하고, 할 수 없는 건 포기하고…… 역시 삼미의 투수를 그린 영화 〈슈퍼스타 감사용〉의 '꿈을 던진 패전 투수', 그런 게 내 모습에 가깝다. 그리고 감사용이 그랬던 것처럼, 누구에게도 고개 숙이지 않고 당당하게 살았다. '적게 먹고 덜 쓰고', 이런 삶을 담담하게 받아들였던 것은, 누구에게라도 고개 숙이는 일은 죽기보다 싫었기 때문이다. 꿈을 마음속에 품으면, 그 꿈을 실현하기 위해서 결국은 누군가에게, 형식적으로든 진심으로든 고개를 숙여야 한다는 것을 나는 어렸을 때 이미 알았던 것 같다. 그래서 나는 꿈을 거부하고, '되는 대로 사는 삶' 그리고 '즐거운 삶'을 선택하였다. 이제 50을 바라보는 나이, 아직까지도 고개를 안 숙였다. 나에게 누군가 고개를 숙이라고 하는 날, 나는 사직서를 제출했다. 고개까지 숙이면서 살고 싶지는 않았다. 지금까지도 고개 숙이지 않고 살았는데, 앞으로도 고개를 숙이고 싶지는 않다.

그렇지만 나는 나의 독자들에게는 고개 숙여 감사한다. 내 책을 사 주었기 때문이 아니라, 내 생각이 그들 덕분에 이 사회에서 약간이라도 버틸 공간이 생겼기 때문이다. 우리가 어디에 있는가, 그리고 어디로 가고 있는가, 여기에 대해서 조금이라도 다른 방식으로 생각할 수 있는 공간이 한국에는 별로 없다. 조금이라도 '학'에 관심 있는 사람이라면 지금의 한국이 질식할 듯한 상황이라는 것에 대해서 공감할 수 있을 것이다. 그것을 인문학이라고 부르든, 경제학이라고 부르든, 기본에 해당하는 것들은 대개는 질식해서 이미 사망했거나, 아니면 정부의 지원 프로그램으로 숨만 까딱까딱 붙어 있는 상태이다. 대학에서도 그렇고, 사회에서도 그렇고, 기업에서는 더 말할 필요도 없다.

내가 정말로 용기 있고, 경제학자로서의 꿈이 있는 청년 학도였다면 나는 최종 학위를 경제철학에 대해서 썼을 것이다. 그러나 나는 겁이 많은 사람이고, 가끔은 비겁하게 돌아가는 선택도 하는 사람이다. 나는 별다른 꿈도 없을 뿐더러, 용기도 별로 없이 살아왔다. 그렇지만 나 같은 사람도 현실에 굴하지 않고, 내가 맞는다고 생각한 것을 계속해서 얘기할 수 있게 해 준 사람들, 그들이 바로 나의 독자이다. 내가 머리를 숙여야 할 사람이 있다면, 대통령도, 국회의원도, 대학 총장도 아니라 바로 독자들이다.

2.

처음 박사가 되고 나서 선배들에게 들었던 얘기가 '벙어리 3년, 귀머거리 3년, 봉사 3년'이라는 말이었다. 비리가 있거나 잘못된 것을 봐도 시집살이 하는 마음으로 그냥 참고 있어야 뭔가 정말로 중요한 얘기를 할 기회가 생긴다는 말이었다. 난 그 얘기가 그렇게 싫었다. 그런데 먹고 사느라고 정신없이 출근하고 퇴근하고 그렇게 살다 보니, 정말로 내가 그 말대로 살고 있었다. 그렇게 9년을 다 채웠다가는 평생 가슴에 한이 될 것 같아서 8년째 공직을 내려놓고 떠났다. 그런데 실제로 나와 보니 나는 아무것도 아닌 사람이고, 내 얘기를 들어줄 사람은 정말 아무도 없었다. 그래서 결국은 박사 9년차까지는 아무 말도 하지 못하고 지낸 삶이 되었다. 뭔가 죽어라고 하는 줄 알았는데, 나도 눈치 보면서 결국은 몸보신이나 하고 있는 삶을 살고 있었다. 사람 사는 게 다 거기서 거기 아니냐는 비겁한 변명을 할 수밖에 없었다.

그리고 다시 10년이 흘렀다. 이제 나도 박사 20년차이다. 지난 10년간, 세상은 점점 더 안 좋아지기만 했다. 민주노동당은 2004년 원내 진출 이후 사람들의 기대와는 달리 쇠락의 길을 걸었다. 사람들은 그걸 1차 분당, 2차 분당, 3차 분당이라고 부른다. 민주노동당에서 진보신당이 갈라져 나온 게 1차 분당이다. 그리고 진보신당이 다시 한 번 갈라지면서 일부가 민주노동당과 합쳐져 통합진보당이 되었다. 진보신당은 노동당이 되었다. 2차 분당이다. 이렇게 생긴 통합진보당 속칭 '통진당'에서 다시 일부 세력이 찢어져 나와서 지금의 정의당이 되었다. 3차 분당이다. 이걸 바로 옆에서 지켜본 나도, 가끔은 어느 당이 어느 당인지, 누가 지금 어느 당에 가 있는지도 헷갈릴 때가 있을 정도이다. '개박살'이라고 표현해도 전혀 어색하지 않을 정도이다. 진보신당이 분당할 때 나는 민주노동당 당적을 정리했고, 더 이상 당원으로 활동하지는 않는다. 이 슬픈 역사를 들여다보고 나면 지난 10년이 애잔하다.

그렇다면 10년 전 거대 야당이었던 열린우리당의 역사는 뭔가 좋아진 10년일까? '사실상 이긴 거야'라고 우겼던 선거까지 포함해서 냉철하게 분석하면 현재 스코어, 25전 25패라는 게 내가 들은 얘기이다. 박근혜가 천막 당사로 나름대로 한나라당 혁신을 한 이후, 보궐을 포함한 크고 작은 선거에서 연패 중이다. 그들은 이제 완벽한 선거 기술자가 되었다. 어지간히 해서는, 이기기 어렵다. 한 발 뒤로 물러서 생각해 보면 25전 전패를 한 정당이 아직도 명맥을 유지하면서 살아 있다는 것 자체가 경이로울 정도이다. 그 동안 열린우리당은 정권을 뺏겼고, 두 번째 보수 정권이 집권 중이다.

학자로서 최선을 다해서 열심히 살았던 시간에 모든 것들이 점점 안 좋아지는 과정을 지켜봤다. 괴로웠다. 무기력하게 살고 싶지는 않았지만, 어쨌든 결과적으로 지난 10년, 우리들 대부분은 무기력해졌다. 열심히 살고자 했던 생활인들의 삶은 더욱 나빠졌다. IMF 경제 위기가 터진 1997년 이후로 대학에 들어간 청년들의 삶은 바늘구멍처럼 되었다. 그렇다면 누군가는 좋아졌는가? 그게 진짜인지 아닌지, 하여간 삼성이나 현대 같은 대기업에서 기획 업무를 보는 사람들을 만나 봐도, 정말 힘들어 죽겠다고 한다. 아무 근거도 없는 엄살 같아 보이지는 않았다.

분명히 우리는, 지난 10년간 어디선가 길을 잃고 있던 것이 분명하다. 그 동안에 서로를 할퀴고 물어뜯고, 아픈 상처를 주면서 지내왔다. 내가 40대가 될 때 이명박 정권이 들어왔다. 그리고 40대 후반부는 박근혜와 함께 보내게 되었다. 나의 40대는, 그렇게 저들이 활

개치고 돌아다니는 시간이 되었다. 재수 없게 이 시기에 20대가 된 청년은, 정말 꽃같이 아름다워야 할 그 청년기를 참으로 힘들게 보내게 되었다. 그렇다면 다음 정권은? 많은 여론조사 전문가들과 정치학 박사들에게 물어보니, 객관적으로는 다음 대선에 이길 확률은 0%라고 한다. 우리의 국가 대표 팀의 월드컵 16강 진출을 따질 때 흔히 보았던 그 경우의 수보다 더 잔혹하고 냉엄한 경우의 수를 봤다. 자, 그럼 우리는 어떻게 해야 하는가? 이 질문을 해 보지 않을 수 없다.

독자 여러분들에게 물어보고 싶다. 지난 10년이 과연 개인적으로 어떤 시간들이었는지? 그리고 앞으로 우리가 맞이할 10년은 어떤 모습이어야 하는지? 어쨌든 우리 모두는 지금 보다 나은 10년을 소망하지 않겠는가? 그게 개인의 삶이든, 우리 모두의 전체적 삶이든 혹은 국가의 운명이든……

3.

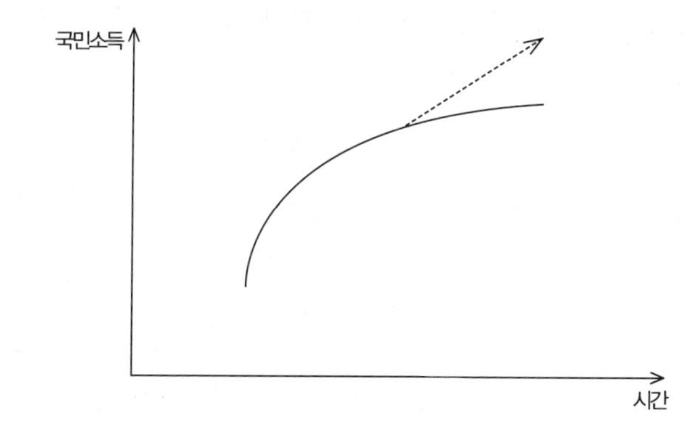

앞쪽 그림은 자본주의의 성장을 보여주는 가장 간단한 그래프다. 아담 스미스가 1776년 『국부론』에서 보여 준 우리의 미래는 이런 모습이다. 처음에는 성장률이 높았다가 시간이 지날수록 성장률이 점점 떨어지게 되고, 궁극적으로는 0에 수렴하게 된다. 주어진 자연 조건 안에서 계속해서 성장이 진행되면 결국 경쟁만 세지고 더 이상 성장이 어려워지는 순간이 온다고 했다. 경제학의 아버지라고 불리는 아담 스미스는 이 상황을 '우울한 상태'라고 불렀다. 고전학파 출발자인 아담 스미스에서 고전학파 막내인 존 스튜어트 밀까지, 자본주의 경제가 궁극적으로 부딪히는 한계점인 정체 상태(stationary state)가 존재한다고 생각했다.

고전학파와 생각한 방식은 약간 다르지만, 마르크스도 이론적으로는 마찬가지 결론에 도달했다. 다만 그는 그 이전의 고전학파들의 결론과 달리, 자본주의 경제는 붕괴하고 새로운 사회가 도달해서 다른 방식의 경제가 올 것이라고 하였다. 물론 현실 사회주의는 이렇게 자본주의가 필연적으로 도달할 것이라고 생각한 그 궁극의 단계에서 등장한 것이 아니라 자본주의의 약한 고리라고 할 수 있는 러시아 혹은 중국 같은 곳에서 나왔다.

1929년, 세계 대공황이 오면서 자본주의가 전대미문의 위기에 봉착하게 된다. 공교롭게도, 이때 소비에트 지역에는 경제 위기가 오지 않았다. 케인즈가 혜성과 같이 등장하면서, 정부가 돈을 풀면서 이 위기를 극복할 수 있다는 새로운 자본주의에 대한 이해를 제시하였다. 그리고 그때부터 경제학에 '거시경제학'이라는 분과가 생겨났다. 그렇지만 이 단계까지는 아직 경제학에는 성장론이라는 것이 만들어지지 않았다. 사람들이 생각하는 것보다 성장론은 매우 늦게 나오게 된다.

최초의 성장론은 해로드(R. Harrod)과 도마(E. Domar)라는 경제학자가 각각 했던 작업을 통해서 40년대 중반쯤 모습을 보이게 된다. 후에 칼도(N. Kaldor)가 등장해서 저축률을 통해서 경제가 성장하게 되는 모델들을 제시하게 된다. 이 사람들은 대부분 케인즈 계열의 학자들이다.

그에 비해서 케인즈를 반대했던 사람들, 소위 주류 중의 주류라고 할 수 있는 신고전학파 쪽에서는 이 단계까지는 성장론을 제시하지 못했다. 개별 시장의 균형에 대해서 주로 연구했던 신고전학파에서 성장론이 나오지 않았던 것은 어쩌면 너무도 당연한 일일지도 모른다. 우리는 흔히 "경제에서 제일 중요한 것은 성장이야."라고 말한다. 하지만 경제학계 내부에서는 이런 얘기들이 그리 익숙하지 않다. 그건 비주류 경제학이나 마르크스 경제학에서만 그런 게 아니라, 신고전학파 내에서도 그렇다.

솔로우(R. Solow)의 이론이 넓게 확산된 1960~70년대가 되어서야 소위 시장론자들은 자신의 성장 이론을 가지게 된다. 솔로우는 1987년 균형 성장론으로 노벨 경제학상을 받았다. 케인즈주의자들을 몰아내는 것을 중요한 역사적 사명으로 생각했던 주류 경제학자들로서는 그야말로 거대한 쾌거가 아닐 수 없다. 그렇지만 솔로우의 결론이 그들에게는 실망스러웠다. 아담 스미스나 마르크스가 했던 전망과 크게 다르지 않았기 때문이다. 솔로우 모델에서 장기적인 성장률은 인구 증가율에 수렴하게 되는데, 결국 새로 태어나는 사람들에게 기존의 구성원만큼 누릴 수 있게 해 주는 게 마지막 순간의 모습이라는 것이다. 경제성장을 통해서 '영광과 번영(glory and prosper)'이 올 것이라고 기대했던 사람들에게 솔로우의 결론은 '급실망'에 가까웠다. 모든 경제적 요소는 시간이 지나면서 생산성이 줄어들게 된다는 '수확체감(decreasing return to scale)의 법칙'을 전제하고 나면 이러한 결론은 피하기가 어렵다. 이건 딜레마다. 수확체감을 설정하지 않으면 시장의 균형을 이론적으로 도출하기가 쉽지 않다. 반면에 장기적으로 성장률이 인구 증가율을 넘어서기 어렵다는 결론을 피할 수가 없다.

이 문제에 해법을 제시하면서 1980년대 중후반 폴 로머(P. Romer)라는 천재 경제학자가 혜성처럼 등장한다. '내생 성장론'이라는 이름을 가진 이 새로운 접근법은 장기적으로 수확체감이 아니라 수확체증, 즉 규모가 커질수록 오히려 생산성이 높아지는 요소를 모델에 삽입하면서 이 문제를 풀었다. 예를 들면, 기술이 발달하면서 개발자만이 아니라 사회 전체적인 파급 효과가 생길 수 있는데, 이런 점이 수확체증 요소가 될 수 있다. 우리나라와 같이 문맹률이 아주 낮은 나라에서 신기술의 사회적 보급이 보다 빠를 수 있고, 이것이 성장률을 끌어올릴 수도 있다는 것도 한 가지 예가 될 수 있다.

IMF 이후에 김대중 정부가 전격적으로 도입한 지식 경제나 인적 자본 같은 개념의 뿌리에는 내생 성장론이 자리 잡고 있다. 그뿐만

이 아니다. 박근혜 정부에서 한참 얘기하는 '창조경제'의 이론적 뿌리에도 로머 등이 주창했던 기술 요소에 대한 해석이 관련되어 있다. 참여정부 때에 이 개념이 한국에 적용 가능한지 산업자원부에 검토해 보라고 했다는 얘기를 들은 적이 있다. 그때 부정적인 답변이 올라와서, 나중에 지방의 토건 경제로 변질해 버리고 만 '균형 발전'이 경제 기조가 되었다. 역사의 우연이 만들어낸 아이러니이다. 만약 그 시절에 내생 성장론을 노무현 정부의 기본 경제 기조로 채택했다면 과연 역사의 전개는 어땠을까?

어쨌든 2008년 이후로 전 세계가 새로운 경제 패러다임을 찾아 헤매고 있는 것은 사실이다. 케인즈 시대로 복귀할 것인가, 아니면 또 다른 무엇을 만들 것인가, 그 사이에서 우리 모두는 고민 중이다.

4.

경제학사 내의 간략한 성장론에 대해 얘기를 한 이유는, 경제학 내에서 성장론이 그렇게 오래된 이론적 배경이 있는 분야도 아니고, 또 경제학 내에서 아주 인기 있는 분야도 아니라는 점을 알려 드리고 싶어서다. 기본 내용이 크게 다를 것 없는 '생태를 통한 경제 진작', 이걸 대통령 후보 시절의 오바마는 '녹색 경제(green economy)'라고 불렀다. 이것보다 더 나아간 것도 아니고, 오히려 4대강이나 원자력 같은 퇴행적 내용을 담고 있는 걸 이명박은 '녹색 성장'이라고 불렸다. 거의 강박관념에 가까운 성장론주의자라고 할 수 있다. 나는 어떤 선진국 정권도 성장 모델을 제시해야 한다는 성장 강박증에 이 정도로 빠져 있는 것을 본 적이 없고, 또 입만 열면 '성장'을 얘기하는 국민들도 본 적이 없다. 외국의 대선이나 총선은, 좀 더 각론에 해당하는 정책을 가지고 논쟁이 벌어진다.

프랑스에서 계획경제를 할 때, 정부에서 성장률을 제시한 적이 있기는 하다. 드골 시절이다. 그걸 '시그널 경제'라고 부른다. 거시 지표를 정하는 등 좀 더 공격적으로 경제정책을 운용할지, 아니면 소극적으로 운영할지, 그걸 미리 발표하면 기업을 비롯한 각 경제 주체들이 알아서 자신의 투자 등 장기 계획을 결정한다. 물론 정부가 그걸 강제하거나 그렇게 하지는 않는다. 드골 시절에 그렇게 했다. 그렇지만 선거 시기에 각 후보가 목표 성장률을 제시하고, 이런저런 성장 모델을 말하는 방식으로 하지는 않았다.

똑같이 계획경제의 틀에 들어가는 것이 박정희 시절의 '경제 개발 5개년 계획' 같은 것인데, 한국에서는 군대 방식으로 그걸 정부가 직접 끌고 나갔다. 그 시절의 역사적 기억 같은 게 남아서 그럴 것이라고 생각하는데, 아직 우리는 정부가 뭔가 성장률을 제시하고 그걸 대통령의 권위로 끌고 나가야 비로소 나라가 좋아지는 것이라고 생각하는 경향이 강한 것 같다. 이젠 한국 경제의 덩치가 커져서, 그렇게 해 봐야 돌아가지도 않는다. 스웨덴, 스위스, 노르웨이, 이런 나라들이 1인당 국민소득이 6만 달러 넘어가는 과정에서 우리나라 같은 황당한 성장률 논쟁이나 성장론을 얘기하는 것을 들어본 적이 거의 없다. 정치인들이 성장론을 찾아 헤매는 것 자체가 굉장히 한국적이고, 아직은 다음 단계로 넘어가지 못했다는 단적인 증거라고 생각한다.

성장은 국민경제의 한 요소에 불과하다. 노무현 시대의 2만 달러 경제, 이명박의 747, 이런 것들이 대표적으로 국민경제를 망치게 한 요인들이라고 생각을 하는데, 이유는 단순하다. 청와대가 경제성장을 얘기하다 보면 당연히 성장률, 정확히는 목표 성장률을 제시하고 싶은 유혹에 빠지게 된다. 성장, 그렇다면 얼마? 기자들이 집요하게 물어보고, 언론에서 끈질기게 추궁할 것을 알고 있기에, 미리 목표 성장률 자체를 제시하게 된다. 그렇게 해서 청와대 손을 넘어간 성장 모델은 이제 공무원들 손으로 들어간다. 부처별로 예산 신청을 하고, 자기들 나름대로 숙원 사업이었던 것들을 여기에 끼워 넣으면서 성장률에 대한 기여도 계산을 역순으로 하게 된다. 그 과정을 통해서 결국 도로나 산업 단지 만들기 같은 토건 예산이 유일하게 성장률을 조절하는 변수로 대두되고, 우리에게 익숙한 케인즈식 재정 정책의 토건화가 진행된다. 성장률이라는 목표가 정부 행정 절차로 들어가는 순간, 21세기에 별로 적합하지 않아 보이는 케인즈의 부정적 요소들만 신나게 작동하게 된다. 좀 멀게는 2008년 글로벌 금융위기 타개책으로 선택된 4대강, 아주 가깝게는 최경환의 '부동산 정상화' 대책에서 우리는 바로 그런 것들을 볼 수 있다.

경제성장은 결과이지 목표가 아니다. 내가 경제성장에 대해서 반대하는 것은 아니다. 나도 1인당 국민소득 6만 달러를 넘어가던 순간의 스위스나 스웨덴에서 보았던, 정말 낙원과도 같은 삶을 한국에서 보고 싶다. 그렇지만 2만 달러를 넘고, 3만 달러를 넘으며 점점 더 나빠지는 것을 우리가 이미 목격하지 않았는가? 목표와 수단이 뒤집혔을 때 발생하는 폐해가 바로 지난 10년 동안 우리가 지낸 그 시절이 아니겠는가? 이미 덩치가 커져서 저성장을 하나의 추세로 받아들이며 내부의 불균형을 해소하려는 노력을 10년 전부터 우리가 했다면 과연 지금 우리의 삶은 어땠을까? 어쩌면 우리는 최소한 5% 내외의, 적어도 지금보다는 높은 '상대적 저성장'을 경험했을지도 모른다. IMF 이후 지금까지 가장 높은 이 수준의 성장률은 역설적으로 2007년, 노무현 정부 말기에 실현됐다. 자, 한 번 생각해 보자.

노무현 정부 5년차, "모든 것은 노무현 때문이다."는 농담이 사회적으로 돌 정도로 대통령 노무현은 아무 일도 하기가 어려웠다. 한미 FTA 추진과 함께 한때는 그에게 우호적이었던 많은 단체와 사람들은 그에게 등을 돌렸다. 또 많은 사람들은 종합부동산세에 '세금폭탄'이라는 딱지를 붙이며 그에게 욕을 퍼부었다. 여기에 그해 9월에 신정아 사건이 터졌다. 새로운 경제정책 기조를 한참 추진 중이던 청와대 정책실장인 변양균이 여기에 연루되어 결국 사직하게 된다. 그리고 대선에서는 상대편 이명박 후보가 이미 돌이키기 불가능할 정도로 앞서면서 독주 체계를 갖추고 있었다. 그런데, 이 해가 나름대로 경제적 성과는 좋았던 해였고, 원화도 900원대 정도로 환율이 내려간 해였다. 그렇다고 해서 엄청나게 수출이 타격을 받은 것도 아니다. 대통령이 뭘 잘하고, 경제를 잘해야 한국 경제가 좋아질 것이라는 많은 사람들의 상상과는 달리, 2007년은 그렇지 않을 수도 있다는 걸 보여 준 한 해였다. 경제 잘하면 국민들이 지지해 줄 것인가? 불행히도 2007년은 그 말이 꼭 맞지 않을 수도 있다는 것을 보여 준 한 해이기도 했다. 그해 정동영 후보는 역대 최다 표차로 대선에서 고배를 들이켰다. 이 '사건'을 해석하면 이렇다. '2007년, 이미 한국 경제는 경제성장률 등 거시 지표와 개개인의 삶이 완벽하게 괴리된 상태였다. 그리고 그건 앞으로도 당분간 그럴 것이다.' 고용 없는 성장이라는 말이 괜히 나온 것이 아니다.

대통령이 뭔가 진두지휘를 하고, 청와대가 일사분란하게 공무원들 줄을 세우고, 그리고 각 부처가 전속력으로 달려가면 경제가 좋아질까? 지금은 2015년이다. 뭔가 조금은 다른 방식으로 생각해 볼 필요가 있다. 2008년 청와대에서 '얼리 버드'라는 말이 유행했었다. 정말 일찍 출근하고, 정말 열심히 일한다는 것을 사람들에게 보여 주려고 하던 때였다. 아마 박정희 시절의 청와대와 경제기획원이 그렇게 일을 했을 것이라고 상상한다. 그렇지만 그때는 2008년이었다. 그렇게 대통령과 청와대가 혼연일체가 되어 죽어라고 일한 지 몇 달, 바로 촛불 시위가 터지면서 정치적으로 곤경에 처하게 되었고, 리먼 브라더스의 파산으로 경제성장률은 마이너스로 처박혔다. 여기에 글로벌 금융 위기라는 외부 요소만 존재했을까? 경제 분야에서 너무 열심히 일하려던 청와대의 과욕은 과연 관련이 없을까? 이명박 정부는 토건을 전면에 내세운 케인즈식 경제에 정말 충실한 정권이었다. 경제 규모와 정부 성장 정책의 효과에 대해서, 한 번쯤은 다시 되짚어 봐야 할 것 같다.

5.

한국 자본주의의 출발점은 언제일까? 한국 보수는 주로 일제 치하를 그 출발점으로 잡는다. 그래서 일본 강점기에 한국이 이만한 기틀을 만들었다고 하는 주장이 생긴다. 여기에 반대하는 쪽에서는 한국 자본주의의 출발점을 더 앞쪽으로 잡고 싶어 한다. 그걸 '자본주의 맹아론'이라고 부른다. 철종 시절까지 올라가기도 한다. 한국 학계가 경제사도 활발하게 연구하던 시절에 시작된 논쟁인데, 이제 학계에서는 더 이상 이 분야의 전문가를 배출하기가 쉽지 않게 되었다. 그 대신 정말로 이념만 남은 논쟁이 되어버린 듯하다. 어쩌면 앞으로도 100년은 더 갈 논쟁일지도 모르겠다.

그렇지만 우리 모두 동의할 수 있는 것은, 어쨌든 박정희 이후로 한국 자본주의에 질적인 변화가 생겼다는 점일 것이다. 그게 좋다고 말하거나 나쁘다고 말하거나, 그건 개개인이 선택할 수 있는 시각의 문제이다. 이게 반드시 좋다고 말하기는 어렵지만, 어쨌든 시스템으로서의 자본주의는 박정희 혹은 유신과 연관되어 그 출발점을 잡는 경향이 있다. 이렇게 출발점을 잡은 이후, 한국 사회 단계를 구분 짓는 가장 편안한 방법은 산업화 시대와 민주화 시대로 설정하는 것이다. 너무 명확한 내용이라서, 이걸 다시 보자고 하거나, 다른 방식으로 설명할 이유를 느끼지 못하게 하는 설명이다.

그런데 여기에 새로운 내용을 보탠 것 사람은 2006년의 박세일이다. 2006년이 시작되자마자 『대한민국 선진화 전략』이라는 책이 출간되고, 기존의 산업화, 민주화 단계에 선진화 단계가 하나 추가된다.

1. 산업화
2. 민주화
3. 선진화

이런 단계론이 보여 주는 메시지는 명확하다. 좋든 싫든, 박정희에서 전두환에 이르는 일련의 독재 시대에 산업화라는 것이 만들어졌고, 그 시기는 김영삼 정권까지라는 것이다. 그리고 산업화의 문제점을 해결하기 위해서 새로운 세력이 등장하였는데, 이것이 바로 민주화 세력이고, 김대중-노무현 정권이 그 새로운 세력의 주인이 되었다는 것이다. 기간으로 보면 민주화 세력의 집권은 상대적으로 짧은 10년인데, 장기로 치면 어쨌든 장군, 멍군이 이루어진 것이다. 이 상황에서 박세일 얘기가 명시하는 것은 자명하다. 산업화, 민주화를 했으니, 이제 선진화를 해야 하는 상황이고, 이제 민주화 세력은 역시적 시효를 다했으니, 그만 정권을 내놓아라.

하여간 실제로 그렇게 되었다. 산업화의 배턴을 이어받은 선진화 세력은 2006년 이후 급격하게 세를 불려나가며 바로 정권 교체에 성공하였다. 이명박 정부가 하는 모든 일들은 '선진화'라는 이름으로 도배가 되었다. 프레임의 효과를 이 정도로 명확하게 보여 주는 사례가 세계적으로도 없을 정도로, 선진화는 강력한 프레임이 되었다.

이 틀은 상대방에게는 '올드하다'는 이미지를 덮어씌우는 또 다른 효과가 있다. 산업화 단계를 지나고, 민주화 단계도 지나서 지금은 선진화 단계로 가고 있는데, 아직도 민주화 얘기를 하는 사람들은 뭔가 시대에 뒤떨어진 것 같은 어감을 준다. "때가 어느 땐데 아직도 민주화 타령이야." 이 말이 그냥 붙어 나오게 된다. 게다가 '선진화=경제성장', 이런 약간의 추가적인 장치를 통해서, 경제성장을 얘기하거나 주도하지 않는 세력은 아직 민주화 단계, 즉 선진화 이전 단계에 머물러 있는 세력으로 몰아갈 수 있게 된다.

이런 과정을 통해서, 선진화는 결국 경제성장, 이런 등식이 사회적으로 형성되었다. 그리고 여기에 2008년 이후 추세적으로 고착화된 '경제 위기론'이 양념으로 붙게 된다. 경제가 위기인데, 어느 누가 민주화 타령인가? 이 같은 사회적 담론을 우리는 2014년 세월호 국면에서도 본 적이 있다.

선진화와 경제성장, 사실상 동일한 시기에 진행된 두 가지 사회적 축에 의해서 '민주화 세력'은 정권을 내주었고, 정치적으로 재기 불능에 가까운 상황이 되었다. 이건 언어학자인 조지 레이코프가 『코끼리는 생각하지 마』에서 얘기한 프레임과 같다. 한국의 선진화를 얘기하든, 경제성장을 얘기하든, 벗어나기 어려운 프레임 안으로 들어가게 된다. 토마스 쿤이 『과학혁명의 구조』에서 얘기한 패러다임

혹은 미셸 푸코가 『말과 사물』에서 얘기한 에피스테메 같은, 개별화된 개인이 그 시대에서 벗어나기 어려운 시대적 언어에 대해서 생각해 보는 것과 같은 일이다. 무협지에 등장하는 결계를 깨는 것과 같다. 특히 '선진화'라는 용어는, 그것이 제3세계에서부터 출발하여 지금까지 온 우리나라 사람들의 사회적 무의식이라고 할 수 있는 열등감 때문에 가장 강력한 무기가 될 수 있다. 미국, 영국, 프랑스, 독일 혹은 스웨덴 같은 나라들을 암시하는 이 짧은 '선진화'라는 세 글자는 우리의 집단적 열등감을 자극한다. 명확하지는 않더라도 선진국처럼 '되는 것'이라는 방향성과, 선진국처럼 '되어야만 하는 것'이라는 당위성을 가지고 있다. 그리고 집단적 무의식이라고 할 정도로 강력한 열등감은 방향과 당위를 끌고 나가는, 보다 근본적인 에너지가 된다. 그래서 이 프레임은 강력하다. 경제성장 시대가 만들어 낸 강력한 프레임인 '선진화로 가는 길' 담론이 만들어진 이후 10년 가까운 시간이 흘렀다. 지금 한국을 다시 돌아보자. 과연 우리는 선진국일까, 아닐까?

6.

아담 스미스가 『국부론』에서 말했던 자본주의는 세 가지 단계가 있다. 중국과 같이 아직 자본주의를 받아들이지 않은 단계에서는 아주 낮은 성장률을 보여 준다. 이후 산업혁명 등 자본주의가 본격화되면 비약적으로 발전하고 약진하는 단계가 이어진다. 그리고 이 자본주의가 어느 단계에 이르면 더 이상 과거와 같은 비약적 성장은 어렵게 된다. 이 세 번째 단계에서도 높은 성장률을 기록할 수 있는 방법에 대해서 많은 경제학자들이 고민했던 것도 사실이다. 저성장 → 고성장 → 저성장, 이것이 과학에 의해서 실증적으로 확인된 패턴이든, 아담 스미스에서 솔로우에 이르는 일련의 경제학자들이 이론적으로 설정한 것이든, 어쨌든 자본주의가 균일하고 똑같은 패턴으로 전개되지 않을 수도 있다는 점을 살펴볼 필요가 있다.

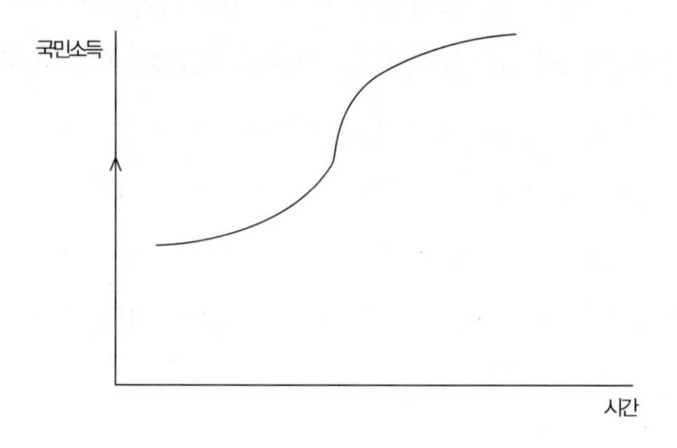

위의 그림은 『국부론』의 사유를 간단하게 정리한 것이다. S자 형태의 그림이 나오는데, 이걸 일반적으로는 로지스틱 커브라고 부른다. 피식자-포식자 관계 혹은 먹이 등 제약 조건이 있는 생태계의 특징을 가진 많은 요소들이 이런 S자 형태의 모습을 갖는다. 특수한 상황은 아니다. 자연계에 있는 많은 생명체들이 궁극의 한계점을 만나면서 이런 운동을 한다고 보면 된다.

이걸 경제 시스템의 변화에 맞추어서 우리 식으로 정리를 해보자.

1. 개발 단계
2. 성장 단계
3. 성숙 단계

개발이나, 발전이나, 영어로는 다 같은 development이다. 이런 단어들은 생물학에서 온 은유들인데, development는 발달의 의미이고, growth는 발육의 의미이다. 예를 들면, 태아의 손가락이 생겨나서 손의 모습이 갖추어지는 것은 발달이고, 그렇게 손의 형태가 잡힌 후 나이를 먹으면서 커 가는 것은 발육이라고 한다. 포유류의 성장은 이런 발달과 발육이라는 패턴을 가지고 있다. 허물을 벗을 때마다 새로운 단계로 넘어가는 곤충들의 성장은 계단식 성장의 모습을 보인다. 죽을 때까지 계속해서 자라나는 공룡은 S자 함수의 모습이 아니라 '/'와 같은, 우상향식 1자형 모습을 갖고 있다. 이러한 생물학적 개체 성장의 비유를 수많은 사람과 자본이 결합되어서 그 결과물로 나타나는 경제 시스템에 적용하는 것이 과연 합당한 것인가에 대해서는 논란이 있을 수 있다. 어쨌든 결과적으로, 경제학자들은 이런 생물학적 표현을 시스템의 변화를 이해하는 데 사용하였다.

자본주의 경제가 등장하는 과정과 관련해서 마르크스는 '본원적 축적'이라는 표현을 사용하였다. 산업혁명이나 식민지 개척과 같은 경제적 힘으로 설명하든, 봉건적 왕조 국가가 붕괴되고 공화국이 등장하는 정치 혹은 사회 체계의 변화로 설명하든, 자본주의는 자본이 뭉쳐서 하나의 덩어리로 형성되는 과정을 거치면서 등장했다. 이전에는 존재하지 않던 경제 시스템이 새롭게 등장함에 따라 전혀 새로운 사회를 준비하는 다양한 과정들이 존재할 수밖에 없었을 것이다.

이렇게 출발한 자본주의는 생산력이 비약적으로 높아지는 성장 과정을 거치게 된다. 국가별로 중간에 위기도 맞는데, 이 시스템이 가장 큰 위기를 맞은 순간이 1929년의 대공황이라는 사실에는 별로 이견이 없을 것 같다. 나치의 등장과 파시즘의 강화를 거쳐 홀로코스트라고 불리는 반인륜적 범죄가 이런 자본주의의 위기와 관련되어 있다는 것은 의심할 여지가 없다. 대체적으로 이즈음에 흔히 '수정 자본주의'라고 불리는 변화들이 자리를 잡는다. 국가가 조금 더 적극적으로 시장의 문제에 대처하게 된 것은 좁은 의미의 변화일 뿐이다. 노동자들은 하루에 8시간만 일해야 한다는, 일련의 인간적 모습들을 자본주의가 가지게 된다. 이러한 변화를, 일정 단계 이상에 오르게 된 자본주의가 맞게 된 '성숙'이라고 부를 수는 없을까? 어쨌든 우리는 서구 자본주의 국가를 논할 때 성숙이라는 표현을 쉽게 쓴다. 그들은 성숙했는데, 아직 우리는 초기 단계이기 때문에 이렇게 할 수밖에 없다, 그런 의미를 담고 있다. 자본주의의 성숙에 관한 가장 상징적인 사건 하나를 생각해 보자.

1914년 4월 20일, 이 날은 자본주의 역사에서 기억해야 할 가장 중요한 날 중 하나일 것이다. 콜로라도 러드로 탄광촌에서 저임금에 항의하던 노동자와 그들의 가족을 향해서 회사 측 경비원들이 기관총을 발사하는 일이 벌어졌다. 노동자들이 항의 좀 한다고, 그들과 그들 가족을 향해서 기관총을 쏘던 것이 20세기 초반의 선진국의 모습이었다. 이 회사가 바로 록펠러이고, 그들의 발포로 노동자와 그들의 가족 199명이 사망하였다. 이때 록펠러가 "어떠한 강력한 수단을 쓰는 것도 정당하다."는 말을 했다. 이러한 자본주의는 야만적이다. 그건 말할 필요도 없다. 이게 바로 러드로 학살 사건이다. 그 후에 록펠러는 엄청난 비난에 직면하게 되었고, 결국 록펠러 재단을 만들어 자선사업의 대명사가 되었다.

록펠러가 착해졌을까? 자본주의가 착해졌을까? 그렇게 생각되지는 않는다. 사람들이 생각하는 이미지와는 상관없이, 여전히 록펠러 재단은 부정적 기능도 수행하고 있을 것이라고 생각한다. 그렇지만 록펠러에서는 임금을 몇 센트 올려 달라고 파업하는 노동자들에게 기관총을, 그것도 성인, 아동 가리지 않고 기관총을 난사하는 일은 벌어지지 않는다. 이 과정을 성숙이라고 부를 수 있을 것이다. 물론, 그렇다고 해서 문제가 완벽하게 해결되거나 모두가 행복해지는 일은 벌어지지 않는다. 적어도 아직은 그렇다. 스웨덴에도 나름의 문제가 있고, 스위스도 그들만의 문제를 가지고 있고, 프랑스나 독일도 마찬가지이다. 그러나 노조의 파업에 기관총을 발포해도 괜찮다고 생각하는 사람은 없다.

우리가 직관적으로 서구의 선진 자본주의가 우리보다 좋은 사회라고 생각하는 것은, 단순히 그들의 국민소득이 우리보다 높기 때문이 아니라, 그들이 자신들 내부의 불합리와 불균형을 줄이기 위한 자기 역사 속에서의 성숙화 과정을 거쳤기 때문이 아닐까?

7.

우리는 지금 선진국일까, 아닐까? 유신헌법이 1972년에 선포되던 시절, 한국은 북한보다 잘 살았다고 보기 어렵다. 그 시절에 우리는 필리핀이 우리보다 낫다고 생각하면서, 막사이사이상 타는 것을 큰 영광으로 여겼다. 1962년 장준하, 1986년 제정구, 이런 사람들이 이 상을 타는 것 자체가 노벨상 수상만큼 큰 뉴스가 되었다. 그리고 한참 시간이 흘러 2006년, 지금 서울시장이 된 박원순 당시 아름다운 재단 이사장이 이 상을 탔을 때, 정말 아무도 관심이 없었다. 지금 20대 기준으로, 막사이사이상이 있다는 것을 아는 사람이 얼마나 될까? 이 상의 권위가 줄어든 게 아니라, 우리가 너무 커져 버린 것이라고 이해하는 게 맞을 것 같다.

이미 1인당 국민소득이 3만 달러가 넘어 버린 지금, 한국이 선진국이냐 아니냐, 하는 논의 자체가 무의미할 것 같다. 덩치만으로 보자면, 한국을 선진국으로 분류하지 않는 것 자체가 이상하다. 인구 천만이 안 되는 스웨덴이나 스위스 등 유럽의 여러 국가들을 생각해볼 때, 지금 이 덩치로 이 규모까지 왔는데도 선진국 여부를 둘러싼 논의는 의미가 없을 것 같다. 경제적 규모로는 선진국 맞다. 그러나 세계 2위 경제 규모인 중국을 선진국이라고 부르지 않는 것과 같은, 경제 규모와는 또 다른 미묘한 문제들이 존재하기 때문에 우리가 스스로를 선뜻 선진국으로 분류하지 못하는 것 아니겠는가?

냉정하게 생각해 보자. 한국은 다른 건 몰라도 경제적인 의미에서 보면 길을 잃은 나라다. 덩치로는 이미 선진국이 되었는데, 그 안에 문제를 처리하는 방식은 때때로 반봉건적, 때때로 비민주주의적 그리고 때때로 가부장적인 나라이다. '그래도 힘으로 밀어서 어떻게든 수출만 하면 된다.' 다른 어떤 나라도 그렇지 않은데, 우리만 그렇게 생각하면서 어떻게든 이 덩치를 끌고 왔다. 하지만 이제 더 이상 이렇게는 안 되고, 그런 사실을 너도 알고 나도 알고 있는데, '그럼 그 다음 길은 무엇인가?'에 대한 이야기를 할 수 없어서 그냥 버티고 뭉개고 있는 게, 벌써 10년이 넘는다.

그냥 간단히 생각해 보면, 한국의 20대는 특단의 대책 없이는 망하는 길 외에는 별 방법이 없다. 아니라고 바둥거리지만, 평균의 논리를 대면, 대체적으로 이미 망했다. 60대 이상 노인들에게는 좋은가? 노인 빈곤율 세계 1위, 고독사가 문제되는 그런 사회이다. 그렇다면 이 모든 경제적 수혜를 누린 50대들은? '베이비 부머'로 불리는 이들 역시 죽겠다고 한다. 앞날이 훤하게 뚫려 보이는 연령이나 그런 계층이 있는가? 거의 안 보인다. 다들 이렇게 힘들면, 그들의 총합인 시스템 역시 답 없는 것은 마찬가지 아닌가?

성년이 되는 시점까지는 포유류와 파충류 사이에 큰 차이가 없다. 그냥 닥치는 대로 먹고, 먹는 대로 크고, 더 크기 위해서 모든 생체

에너지를 사용한다. 그러나 포유류는 성년이 지나면, 이른바 '성장판'이 닫히고, 다른 방식으로 성숙해진다. 인격적 성숙이든 지적 성숙이든, 덩치를 키우는 대신 다른 식으로 포유류는 어른이 되어 간다. 그리고 알을 낳아서 자신의 후손을 던지는 방식이 아니라, 자기 안에 자식을 품고, 자신의 에너지 일부를 젖으로 만들어서 직접 먹이는 고단한 방식을 선택한다. 개체의 육체적 성장은 정지시키지만, 전체의 성장을 위해서 부모가 되고, 희생을 감내하는 방식의 성숙의 길로 나아간다. 어미의 키가 더 커지지 않는다고 해서 포유류 전체의 성장이 멈춘 것은 아니다. 개체가 영원히 성장하는 파충류, 즉 공룡이 아니라 포유류가 지구를 장악하게 된 것은, 그 방식이 더 효율적이고 지속 가능하기 때문이 아닌가?

성숙은 포유류의 특징이고, 이러한 포유류에서 인간이 등장하게 되었다. 초기 자본주의는 공룡처럼 되기를 추구하였지만, 어느 단계에서는 포유류의 모습으로 진화하게 된다. 그렇지 못한 경제는, 마치 중남미의 경제들의 그러한 것처럼 결국 스스로 서지 못하는 상황으로 위기를 맞게 된다. 이렇게 자본주의의 역사를 읽을 수 있지 않을까? 그렇다면 우리의 현재와 미래는? 지금 우리에게 성장이 1차 질문인가, 공룡에서 포유류로 전환하는 성숙이 1차 질문인가? 내 생각에 대답은 너무 뻔하다.

경제 규모로만 보면 우리는 이미 선진국이다. 그렇지만 이러한 경제를 만들기 위한 과정, 즉 개발과 성장을 거치면서 일부러 만들었던 '인위적 불균형'이 너무 많은 사회이다. 그리고 그 문제로 인하여

경제적으로 다음 단계로 나가지 못하고 있는 사회라고 생각한다. 록펠러가 노동자들에게 기관총을 쏘았다면, 우리 사회는 파업 중인 노동자에게 수십억 원의 손배소를 남발하는 나라다. 기관총이나 손배소나, 개인에게 결국 죽음을 강요하는 것은 마찬가지이다. 심장에 총탄이 지나가느냐, 벌금이 지나가느냐, 그 차이만 있는 것 아니겠는가? 군대나 경찰과 같은 물리적인 힘이나, 법원과 처벌 혹은 벌금의 세계로 가기 전에 대화와 타협으로 푸는 게 성숙한 단계이다. 이제 우리는 이런 문제를 말로 푸는 사회의 직전 단계에 와 있다. 한국에서 중요한 문제를 말로 풀 수 있다고 생각하는 사람이 얼마나 있겠는가? 그래서 우리는 규모로는 선진국이지만, 아직은 그에 걸맞은 절차와 문화를 갖추지 못한 단계라고 할 수 밖에 없다. 성숙한 경제, 성숙한 사회, 이제 우리의 덩치에 걸맞은 균형점을 찾아가는 것이 다음 단계가 아닐까?

8.

경제학자로서, 누구를 보고 정책을 만들고 디자인하느냐, 그런 질문에 부딪히게 된다. 나는 오랫동안 정부가 성장률 목표를 정하고, 그걸 제시하는 것에 대해서 반대해 왔다. 이명박의 747이 대표적이다. 그렇지만 그만 그렇게 한 것도 아니다. 한국의 모든 정치인들은 좌우를 막론하고 대선에 임박하면 자기가 해야 더 잘 할 수 있다고,

서로 경쟁적으로 높은 수치를 제시한다. 그리고 누가 되든, 그게 새로운 정부의 기조가 된다. 노무현의 경우도 당선 이후 '2만 달러 경제'를 제시했다. 이명박도 경제적으로 성공한 대통령이 되지 못했고, 그건 노무현도 마찬가지였다. 자신의 집권 기간에 성공한 대통령이 되기 위해서는 성장률을 공약으로 내세우지 말고, 이긴 후에도 정권 기조로 사용하지 않는 것이 낫다. 여기에는 이유가 있다.

경제는 '경세제민(經世濟民)'에서 나온 단어다. 동양적 의미의 경제는 세상을 다스리고 국민을 구제한다는 뜻인데, 라틴어에서 온 '가정(oiko)' + '관리(nomos)'라는 의미에, 백성을 돕는다는 내용이 추가된 것이다. 서양에서 경제학이 제왕의 학문이 된 것은 16세기 이후의 중상주의가 대두하면서 생겨난 일이지만, 동양의 관점에서는 백가쟁명의 시대부터 제왕의 학문이었다. 근본적으로는 국가 통치의 기본 요소 중에 하나라고 볼 수 있다.

한국의 행정 구조로 보면 대통령이 목표 경제성장률을 내놓으면, 각 부처별로 자신들이 기여할 수 있는 정책들을 쭉 제시하게 된다. 그러면 이런 것들을 모아서, 성장률에 맞게 역산을 한 후 끼워 맞추게 된다. 당연히 단기에 효과를 볼 수 있는 것들이 '우수한 정책'으로 평가받는다. 그러다 보니 단기 효과가 부각되는 건물과 도로 건설 등, 소위 토건이라고 불리는 것들이 앞쪽으로 배치되고, 장기적이며 효과가 간접적으로밖에 나타나지 않는 것들은 우선순위에서 밀린다. 사람에 투자하고, 소외된 것들에 투자하고, 문화와 관련된 것들은 '성장'과는 별로 상관없는 정책으로 평가된다. 인문학의 위기 같은 것들이 대표적으로 장기 효과와 간접 효과와 관련된다. 철학이나 문학에 돈을 들인다고 해서 이게 당장 경제성장의 지표 효과로 나타나지도 않고, 이걸 간접적으로라도 평가할 방법은 사실 별 마땅한 게 없다. 개인의 삶에서 인문학이 무슨 도움이 되겠느냐고 할 수는 있지만, 국가 전체 아니 국민경제 차원에서 인문학이 갖는 의미는 전혀 다른 얘기이다. 사실 내생 성장론에서 얘기하는 지식경제의 핵심 중의 한 축이 문학이나 철학과 같은 기초 지식 아니겠는가?

청와대의 손을 떠나 관료들의 세계로 들어오면 성장률은, 패턴보다는 규모를 따지는 개별 정책의 세계로 오게 된다. 역산해서 다시 성장률을 맞추는 지금의 방식을 개선하기는 쉽지 않다. 이건 공무원들이 나빠서가 아니다. 성장률은 목표가 아니라 수단인데, 경제적 삶과 경제 정책이 수단이 되고 성장률 자체가 목적이 되는, 일종의 행정 실패가 벌어지게 된다. 누가 집권하더라도 이러한 행정 절차와 구조를 넘어서기가 쉽지 않다. 이렇게 행정의 실패 구조에서 국민경제를 운용하다 보니까, 기형이라는 단어로도 묘사가 쉽지 않은 수출주도형 경제의 틀 안에 우리가 갇힌 것 아닌가? 성장을 성과로 보고, 성장률을 목표로 보고 헤매다 보면, 정작 경제가 누구를 위한 것이고, 누구를 대상으로 정책을 만들고 있느냐, 그 철학과 핵심이 빠지게 된다. 경제는 목적이 아니고 수단이라는 것, 경제원론 서문에서 배웠던 것을 우리는 때때로 잊게 된다.

9.

현실 경제 문제를 다루다 보면 수많은 지표와 통계들 속을 헤매게 된다. 그 사이에서 우리는 때때로 자신이 누구를 위한 정책을 다루고 있는지, 그 대상을 잊게 된다. '연구를 위한 연구', 그게 이러한 과정에서 생겨나는 일이다. '숨결이 느껴지는 정책', 오랫동안 내가 구호처럼 사용하는 용어였다. 그게 에너지든, 환경이든, 아니면 농업정책이든, 그 정책이 영향을 미치게 될 사람들의 삶이 호흡처럼 느껴지게 하자, 그런 생각을 계속 했었다. 물론 그건 자세에 불과할지도 모른다. 수많은 거시 지표들 사이를 헤매다 보면 내가 무얼 하고 있는지, 종종 길을 잃기도 하다.

이런 시행착오 속에서 내가 생각한 것은, 대상을 좀 더 작게 나누어서 그야말로 소그룹별로 접근해야 한다는 것이다. 거시 지표든 거시적 정책이든, 거시 관련된 것들은 일단은 다루기가 좀 쉽다. 분야별 통계에 비해서 일단 통계 자체가 잘 정리되어 있고, OECD 가입 이후로 이제 어느 정도는 국제적 표준화에 근접해 있다. 정책을 입안하는 사람 입장에서도 마찬가지이다. 이자율과 기준 금리 같은 금융 변수들은 생각보다 다루기가 쉽다. 노동이라는 관점에서도, 전체적인 실업률이나 고용률 같은 거시 변수들이 분야별 고용 문제보다는 다루기가 용이하다. 그래서 현실적이고 실무적인 이유로, 크게 크게 방향을 정하고, 전체를 다루는 거시적 접근을 더욱 선호하게 된다.

어떻게 보면, 이런 편의성은 작은 조종기를 타고 거대 로봇의 머리에 착륙해서 조종하는 〈로보트 태권V〉의 훈이 혹은 〈마징가 제트〉의 가부토 코지(쇠돌이)와 같은 심경이 되는 것이라고 할 수 있다. 국민경제라는 거대한 시스템의 작은 컨트롤 박스에 앉아서 그걸 운전할 수 있다는 것, 어쩌면 그것은 경제라는 이름으로 진행되는 거대한 판타지일지도 모른다. 물론 실제로는 그렇게 잘 조정되지는 않고, 제어 불능과 폭주를 반복하는, 신지가 타고 있는 〈에반게리온〉 초호기에 더 가까울 수도 있다. 한국 경제라는 거대한 시스템 위에서 경제 관련 관료 몇 명 혹은 청와대 경제수석과 정책실장 정도가 이걸 조율하고 이끌 수 있다고 믿는 것, 이미 지금처럼 거대해지고 복잡해진 상황에서, 이건 경제 판타지라고 이해하는 게 나을 수도 있다. 1929년 대공황 이후, 1980년대까지 많은 나라들은 케인즈 방식으로 국민경제를 이끌었다. 그 후에는 흔히 신자유주의라고 불리는, 시장의 전횡에 가까운 방식으로 경제 기조를 바꾸었지만, 국가의 경제 시스템이라는 메가 시스템을 운전하는 방식 자체가 바뀌지는 않았다. 위기가 오면 재정 정책을 써서 정부가 돈을 풀고, 이자율을 낮추고, 그것으로도 부족하다 싶으면 화폐를 더욱 많이 대량 공급했다. 돈을 풀면 이게 어디론가 가고, 그러다 보면 일자리도 생기고, 지역 경제도 살아나고, 뭐 그런 거 아니겠어? 4대강 사업이 이런 거였다. 공약을 내걸었던 대통령이 사과하면서 이미 사회적으로 일단락된 한반도 대운하 사업을 2008년의 글로벌 금융 위기와 함께, 재정 정책의 일환으로 되살린 것이 바로 4대강 사업이었다.

이런 방법 말고는 뭐 없는가? 지금은 이미 21세기가 출발하고도 다시 2010년대 중반으로 가는 시점 아닌가? 이런 걸 고민하면서, 경제정책이 지금보다는 훨씬 더 작은 눈으로, 더 작은 규모의 문제점들을 들여다봐야 한다는 생각을 하게 되었다. 연령별로, 계층별로 나눠서 들여다보면, 당연한 얘기겠지만 거시적으로 크게 보던 때와는 좀 다른 눈으로 볼 수 있다. 예를 들어보자.

연령으로 보면 박근혜와 야당 사이에 발생하는 분기점은 50대에 걸려 있다. 50대 위로는 박근혜 쪽 지지가 살벌할 정도로 높다. 그러나 성별을 감안하면, 이 분기점이 40대 여성으로 내려온다. 왜 40대 여성은 박근혜를 더 많이 지지하는가? 지금의 대통령이 여성이라서 심정적으로 더 많이 지지한다? 이건 가장 간단한 설명이다. 과연 그럴까? 또 다른 이유가 있는 것은 아닐까? 40대 여성을 나누어 보기 시작하면, 사십대 초반, 중반, 후반, 각각의 스토리가 나오기 시작한다. 그리고 그걸 다시 직업이나 계층별로 나누면, 전업주부와 워킹맘 그리고 그 안에서 정규직, 비정규직, 이런 다양한 분류의 사람들이 나타나기 시작한다. 비정규직 내에서도 조금 더 안정적인 진짜 비정규직이 있고, 자신을 고용한 사람들과는 아무런 계약 관계도 없는 파견직이 있다. 자, 이 40대 여성들의 문제를 경제적으로 풀어 나가기 위해서는 어떠한 시도를 해야 할까? 정해진 답이 있는 것은 아니지만, 더 많은 시간을 들여야 하는 것은 당연하고, 더 많은 대화가 필요할 것이다.

거시의 눈으로 크게만 보면, 이자율이나 몇 가지 재정 정책 혹은 기계적으로 여성들의 소득을 높이기 위한 몇 가지 방안 정도만 잡힐 것이다. 박근혜 정부에서 추진하는, 여성들의 일자리 단절을 막는다는 명분으로 내건 시간제 일자리 같은 게 대표적으로 크게 크게 접근하는 방식이다. 성별과 연령, 이런 걸 고려하지 않고 여성이라는 관점 하나만 가지고 쭉 치고 들어간다. 그렇지만 모든 제도에는 다 맥락이라는 게 있듯이, 결국에는 질 낮은 일자리들을 대량으로 만들어 내게 되면서, 제도 시행 이전보다 오히려 여성들의 삶을 더 어렵게 만들 위험성을 내포하고 있다.

성장률과 고용률 같은 몇 가지 거시 경제 지표만 보면서 조정을 하다 보면, 국민경제라는 거대한 로봇이 무시무시한 속도로 앞만 보며 달리고 있는 것과 같은 상황을 만난다. 그 위에 탄 소년이 아무리 선하고 머리가 좋다고 해도, 로봇 발밑에 뭐가 밟히게 될지, 심지어 자신이 어디로 가고 있는지, 이런 것을 때때로 놓치게 된다. 어떻게 보면, 우리가 1960년대 이후, 그렇게 경제 운용을 했던 것인지도 모른다. 여당이든 야당이든, 모든 정권은 늘 시간이 없었고, 세밀하게 집단별로 어떤 경제정책이 필요할지 살필 겨를이 없었다. 표가 되지 않는 정책은 정치인들이나 심지어는 정책 담당자들에게 외면당했다. 그렇다. 우리는 바빴다. 다들 바빴고, 선거 일정에 쫓기는 정치인들은 특히 바빴다. 부자들도 바빴고, 가난한 사람들도 나름 바빴다. 국민도 바빴고, 시민도 바빴고, 학자도 바빴고, 기자들도 바빴다. 그렇다. 우리는 모두 바빴다. 욕 하느라고 바쁘고, 실망하느라고 바쁘고, 좌절하고 절망하느라고 바빴고, 그 허한 심정을 쓰린 소주로 달

래느라고 또 바빴다. 그리고 정말로 바쁜 이 땅의 알바들은 바쁘다는 얘기도 할 기력도 없었다.

10.

2012년 대선이 끝난 이후부터 2년간의 내 삶은 참으로 무료한 것이었다. 정확히 말하면 무료하다기보다는, 상실감과 무기력감 그리고 약간의 분노 같은 것들이 버무려진, 그리고 어디로 가야할지, 무엇을 해야 할지, 그런 방향감을 가질 수 없는 시간이었다. 그렇다고 정말 아무것도 안 하고, 먼 곳으로 여행이라도 가는, 마치 다 해놓은 밥을 다시 엎어 버리고 새 밥을 짓는 그런 새 출발의 시간도 아니었다. 새로 출범한 박근혜 정부가 하는 황당한 일을 보면서 황망해 하고 있었지만, 그렇다고 명확하게 내가 할 수 있는 일도 없었다. 무엇보다, 나 역시 생활인으로 살아야 했다. 막 100일이 된 아기와 함께 대선이 지나갔고, 그 사이에 다시 둘째 아기가 태어났다. 복직한 아내를 대신해서, 어쨌든 아기도 봐야 하고, 글도 써야 했고, 조금씩은 돈도 벌어야 했다. 약간씩 몸을 움직이는 것을 제외하면, 대체적으로는 한가했다. 딱히 집중해서 해야 할 일도 없었고, 또 그렇게 모든 것을 던져서 하고 싶은 일도 없었다.

여전히 많은 사람들이 무엇인가 집중하고, 또 바쁜 시간을 보내는 와중에 나 혼자 시간의 흐름 속에서 내던져진 듯, 아무 일도 하지 않고 지내고 있었다. 그러던 어느 날, 홍난파가 살았던 그의 집에서 '성숙'이라는 단어가 내 머리를 스치고 갔다. '나의 살던 고향은', 이렇게 시작하는 '고향의 봄'을 비롯해서, 우리가 동요 혹은 가곡으로 즐겨 부르는 노래들의 상당수는 홍난파 작곡이다.

2014년 봄 어느 화창한 날 오후, 할 일이 없어서 여기저기를 배회하다가 홍난파 가옥에 당도하게 되었다. 작은 2층 양옥집인데, 근대에 생겨난 문화재를 알아서 신고하면 구청에서 약간의 관리를 해 주는 문화재 등록제라는 제도로 보호받고 있었다. 그리고 그 바로 앞에는, 흰색 칠을 한 철조망에 둘러싸인 거대한 공사장이 있었다. 인왕산 길 약간 아래쪽에 돈의문 뉴타운이라는 이름으로 큰 공사판이었다. 기자들이 만든 독립 언론 〈시사인〉의 첫 번째 사무실도 이 공사 구역 내에 있었는데, 뉴타운 공사가 시작되면서 결국은 이사를 가게 되었다.

작은 서양식 양옥집 한 채와 거대한 뉴타운 공사장이 서로 노려보면서 있는 이 형국을, 조화롭다고 말하기는 어렵다. 그러나 거기에서 나는 처음으로 '성숙'이라는 단어를 떠올렸다. 성숙이라고? 우리의 한국이? 그렇지만 정말 황당하게 진행되던 1호 뉴타운인 은평 뉴타운 이후의 최근 개발 사업을 가까운 거리에서 지켜볼 수밖에 없던 나는, 그나마 홍난파 가옥을 비껴가면서 공사 구역을 잡은 것을 보면서, '그래도 많이 변했다', 이렇게 생각했나. 10년 전에 비하면, 그래도 한국에 미미하지만 결코 작다고 무시할 수만은 없는 변화가 생겨난 것은 맞다. 이 정도 변화로 과연 한국을 돌려세울 수 있는가, 여전히 그렇게 질문하고 싶은 마음이 있다. 그러나 분명히 또 다른 변화가 생겨나고 있는 것을 무시할 수 있는가? 지금 그 형상이 미미하다 하더라도, 우리가 가야 할 길은 성숙일 것 같다는 생각을, 공사장 한 가운데에서 고즈넉이 버티고 있는 2층짜리 벽돌집인 홍난파 가옥을 보면서 처음 가지게 되었다.

우린 너무 바빴다. 몸도 바빴지만 마음도 바빴다. 이 바쁜 마음을 조금 비우고 좀 더 깊게, 좀 더 멀리 생각해 보는 것, 그것이 성숙의 과정이라는 생각이 들었다. 시간, 우리에게 시간이 없는 것이 아니다. 늘 조급해서 간단한 방법으로 문제를 풀려고 하던 것, 그게 개발과 성장의 단계를 밟아온 우리의 모습이다. 이제 우리는 조금씩 성숙의 단계로 가고 있는 것 아닌가, 그 생각을 홍난파 가옥에서 처음 했다. 마음을 편하게 먹고, 마음의 여유를 가져야, 이제 삶의 여러 결들이 눈에 들어올 것 같다. 그런 모습이, 우리가 지금 보고 있는 성숙한 자본주의의 모습일 것이다.

11.

이 책의 1부 2~3장, 2부와 3부의 2장, 4부는 신문에 실린 글들이다. 그리고 2012년 12월 대선이 끝나고 그 다음 해 봄부터 2013년 여름까지, 많은 야당 지지자들이 '멘붕'을 호소하고 있던 중에 쓰인 글들이다. 원래는 좀 더 밝고, 좀 더 발랄한 글들을 선호하지만, 그렇게 마냥 '명랑'만을 외치기가 어렵던 순간이었다. 첫 번째 칼럼집은 『명랑이 너희를 자유케 하리라』라는 제목을 달고 있었는데, 그것보다 무거운 제목을 달게 된 것은 내가 열심히 살지 않았다는 증거일 수밖에 없다.

딱히 직접적인 목적을 가지고 개개의 글을 쓴 것들은 아니다. 게다가 여러 개의 매체에 실린 서로 다른 배경을 가진 글들이기 때문에, 쓴 사람이 같다는 것 외에는 별로 통일성도 없다. 그렇지만 이러한 과정을 통해서 내가 한국에 대해서 갈망하고 있는 미래의 모습이 무엇인지를 알게 되었다는 변화가 생겼다. 나는 우리가 좀 더 성숙한 사회로 가기를 바라고, 그걸 위한 경제적 기반으로 '성숙 자본주의'가 지금부터 우리가 가야 할 길이라는 생각이 들었다. 글을 쓰기 전에 그런 생각이 들었던 것은 아니었는데, 하나씩 글을 준비하고, 조금씩 생각하다 보니, 2년간에 걸친 내 생각이 약간은 정리가 되었다. 아니, 내 마음이 정리가 되었다고 보는 것이 맞다. 하긴, 시간이 좀 걸리더라도 마음이 정리가 되지 않으면, 지금과 같은 시기에는 너무 힘들어서 버틸 수가 없는 것인지도 모르겠다.

'성숙'이라는 말의 의미를 새롭게 느낀 다음에, 비로소 나는 학자로서 지금 무엇을 해야 할지 머릿속이 정리가 되었다. 세월호에 관한 책을 시급히 정리해서 출간하고 슬슬 몸을 일으키기 시작하던 아주 더운 여름이었다. 세월호 참사 한 가운데에서 야당은 보궐선거에서 참패했고, 비상대책위원회 체계로 움직이던 때였다. 나는 태어나서 처음으로, 새정치민주연합이라는 최약체 야당과 다음 대선까지 함께 하기로 마음을 먹었다. 누구나 나와 같이 해야 하는 것은 아니지만, 나는 내가 할 수 있는 가장 적극적인 일을 위해서 나의 몸을 움직이기로 했다. 그리고 민주정책연구원이라는 곳의 부원장이 되었다. 더 명랑하고 즐겁게 움직일 수 있으면 좋았겠지만, 그 외에는 별다른 대안을 찾을 수가 없었다.

그래서 이 칼럼집은, 대선 패배 이후에 심란한 마음이지만 그래도 나름 공을 들여서 준비한 글들이 한 사람의 인생을 바꾸게 한 과정에 대한 '스토리 보드' 같은 것이 되었다. "그래 봐야 내가 할 수 있는 일은 별로 없어. 그래서 난 그냥 관조하고 분석할 거야." 이렇게 이 글들을 마무리 짓고 싶지는 않았다. 지금 우리는 중대한 전환기이다. 그건 아마, 이 책을 집어 들었을 독자 여러분들도 약간씩은 다른 논리와 조금은 상이한 감정일지라도, 대부분 비슷하게 느끼고 있을 것이다.

내 마음을 정리하고, 그래서 결국은 몸을 움직이게 만든 이 글들이, 독자 여러분들에게도 어떤 의미로든 행동의 계기가 되기를 희망한다. 개개인의 영광은 보장할 수 없지만, 우리 모두의 번영은 보장할 수 있을 것 같다. 우리 모두가 조금씩 스스로 판단하고 나름의 행동을 한다면 말이다. 사람의 마음을 움직이는 글은 좋은 글이다. 사람의 몸을 움직이는 글은, 더 좋은 글이다. 자기의 몸이라도 움직이게 하는 글은, 그만은 못해도 의미는 있는 글이다. 내가 독자 여러분들에게 소개하는 이번의 글들은, 최소한 나의 몸만큼은 움직이게 만든 정도의 의미는 있는 글이다. 그래서 아주 나쁜 글들은 아니라고 생각한다.

최소한 나는, 행동을 하게 되었다.

12.

성숙의 반대말은 무엇일까? 나는 처음에는 성장이라고 생각했다. 그러나 경제학과는 달리 경제 시스템의 세계에서는 그렇지 않다는 것을 금방 알게 되었다. 누적된 불균형이 해소되고 사회가 공동체적인 의미를 어느 정도 확보하게 되면, 시스템의 효율성이 생겨나서 결국 성장률도 높아지게 된다. 전 세계가 공통적으로 이렇게 되기는 어렵지만 일국 체계에서는 가능하다. 스웨덴이나 스위스 혹은 노르웨이 같은 나라에서 우리가 본 것은 이러한 변화이다. 인류가 동시에 성숙하는 것, 이것은 경제학의 범위를 뛰어넘고, 여기에 대해서는 좀 다른 방식의 디자인이 필요할 것 같다.

일국 체계에서 성숙의 반대는 퇴행일 것이다. 뒤로 가는 것, 그것도 아주 나쁜 의미로 뒤로 가는 것, 그것이 퇴행이다. 경제학자로서, 내가 보는 이 시대는 지금 퇴행이 시작된 시대이다. 풀리는 문제는 없고, 풀어야 할 문제들만 더 많이 만들어 내고 있다.

글만 쓴다고 해서 이 퇴행을 세우거나, 아니면 의미 있게 속도를 줄이기는 어렵다고 생각했다. 성숙이냐 퇴행이냐, 우린 이 시대적 판단 앞에 서 있다. 그래서 나도 좀 행동을 하기로 마음을 먹었다. 엄청난 것은 아니지만 그래도 내가 할 수 있는 선택이 몇 가지 있는데, '아무 것도 안 할 거야', 이런 선택은 내가 퇴행하는 것이라는 생각이 들었다. 치매 올 나이도 아닌데도 남을 위해서는 손가락 하나라도 까딱하기 싫다, 그렇게 나의 40대를 아주 떠나보내고 싶지는 않았다. 만약 가만히 있으면, 내 나이 70쯤 되어서 지금 내 삶을 어떻게 보게 될까? 쉽고 편한 길 정도가 아니라 퇴행이었다, 그렇게 나 스스로를 평가할 것 같다. 그렇게 살고 싶지도 않았다. 그래서 나는 뭔가 조금은 더 적극적이고, 변화에 가까운 행동 쪽을 선택하였다.

14.

퇴행을 막자는 것이 곧 성숙인가? 그건 아니라고 생각한다. 힘들어도 더 많이 대화하고, 더 많이 고민하고, 더 많이 토론하는 과정이 필요하다. 누군가가 "이게 길이야."라면서 사람들을 끌고 갔는데, 좀 있다가 "이 길이 아닌개벼." 이렇게 되는 상황은 아니라고 본다. 이건 규모의 문제와 관련 있다. 한국도 이제는 덩치가 큰 자본주의 국가가 되었기 때문에, 쉽고 간단한 명제로 사람들을 쭉 끌고 가기 어렵다. 또 그렇게 가서도 안 된다고 생각한다. 이젠 우리도 우리의 덩치에 걸맞게 좀 더 세밀하고 좀 더 복잡한 방식으로 논의하고 토론할 필요가 있다. 물론 쉽지 않다. 쉽고 빠른 길에 우리가 너무 익숙해져 있기 때문이다. 어려울수록 천천히 그렇지만 정면으로 가는, 그런 자세가 필요하다고 생각한다.

우리들이 주어진 상황에서 최선을 다해서 살다 보면, 혹 알겠는가? 내가 홍난파의 가옥에서 느꼈던 그 감정을, 10년 후 지금의 독자 중 어느 분이 "아, 한국 좀 나아졌네." 이렇게 얘기하게 될지도. 대통령이 뭘 하고 있는지, 그가 무슨 생각을 하는지, 협박조에 가까운 언론 인터뷰를 통해서나 겨우 아는 시기를 지내고 있다. 그래도 나는 여전히 희망을 품고 싶다.

이 퇴행의 시대, 생태적 사회 그리고 생태적 경제는 아예 바라지도 않는다. 퇴행의 거대한 기운을 뚫고 성숙의 단초를 찾는 것, 그게 우리가 희망할 수 있는 미래의 최대치라고 생각한다. 그래서 다시 나는 죽어라고 글을 쓰고, 분석하고, 토론하고…… 내가 그렇게도 하고 싶지 않던 그 삶의 한 가운데로 다시 들어갔다. 성숙을 향해서 우리가 가는 길, 그것은 퇴행과의 싸움이기도 하다. 퇴행하지 않기 위해서 뭔가 하는 게 아니라 성숙을 향해서 각자 최선을 다하는 것, 언젠가 그 길에서 우리 모두가 다시 만나기를 희망한다. 그러면 우리는 최소한 지금보다는 조금 더 성숙해져 있을 것이다. 그리고 한국 자본주의는 퇴행의 파국을 피하고, 성숙 자본주의의 길에 있다는 얘기를 들을 수 있을 것이다. 퇴행이 아닌 선택, 여전히 우리에게 열려 있는 길이다.

2장 : 무엇을 할 것인가

FEDERAL RESERVE NOTE
THE UNITED STATES OF AMERICA
THIS NOTE IS LEGAL TENDER
FOR ALL DEBTS, PUBLIC AND PRIVATE
F10754908K
F10754914K
WASHINGTON, D.C.
F10754922K

'탈박' 경제 구상 지금부터 시작하자

박근혜 정부 출범 1년이 되던 지난 2014년 1월의 코스피 지수는 1950 근처에서 움직이고 있었다. 2013년 연말에 지수 2000 위에서 벌이던 공방전이 어느덧 1950 근처까지 떨어진 것이다. 그냥 주식 지표들만 보면 3년 전이나 2014년이나, 마치 시간이 정지된 것처럼 느껴진다. 2015년 1월에는 1920 안팎을 기록했다. 나는 '이명박근혜'라는 표현을 별로 선호하지 않는다. 두 사람 사이에 뭔가 차이가 있을 것이라는 나의 어수룩한 희망 때문이었는지도 모른다. 그러나 하여간 주식 지표만 놓고 보면, 이명박 시절이나 박근혜 시절이나, 지수 2000을 희망 목표로 삼고 있는 수많은 주식 투자자들이 매일 웃고 우는 건 같다. 5년에 한 번씩 한국은 좋으나 싫으나 정치 체계에 수정이 오고, 경제 운용 방식에도 변화가 온다. 이명박 정부와 박근혜 정부 사이, 가장 큰 형식적 공통점은 바로 정부 이름이다. 전에는 형식적으로나마 그 정부가 추구하는 가치를 중심으로 정부 이름을 정했다. 하다못해 민자당 시절의 YS도 문민정부라고 이름을 붙였다. 이제 더 이상 군인이 통치하는 게 아니라는 뜻 아닌가? 이명박이나 박근혜나 자신의 이름이 곧 가치라고 생각하는 사람들을 주변에 너무 많이 둔 듯하다. 보수 정부라도 자신들이 추구하는 고유 가치는 있을 것 아닌가? 기초 연금에서 기초 의원 공천제 폐지까지, 대통령만 그 자리에 있으면 상관없다는 듯, 공약 뒤집는 게 초등학생 떡볶이 집 들르는 것처럼 일상이 되어 버렸다.

두 정부 사이를 관통하는 경제 기조의 공통점은 역시 집값 올리기다. 그리하여 집값으로부터 거꾸로 계산돼 결정되는 전·월세 값의 지속적 상승, 이것도 완전히 똑같다. 가계 대출 1,000조 원은 이에 따르는 보너스다. 하여간 제대로 된 전 세계 나라들 가운데 2008년 글로벌 금융 위기 이후 가계 대출이 줄어들지 않은 유일한 나라가 대한민국이다. 소득별로 보면, 이 기간 동안 부자들은 집을 팔았는데 가난한 사람들은 열심히들 집을 샀다. 이 정도로 서민들 등을 쳐 먹었으면 전월세 상한제 정도는 애프터서비스로 해 줄 법도 한데, 아직까지는 기미도 없다. 솔직히 말해, 가난하고 집 없는 사람들이 대거 표를 주었으니까 이렇게 보수 정권이 지켜진 것 아닌가?

민영화 역시 두 정부가 1부작, 2부작이라고 할 수 있다. 수서발 KTX와 의료 자회사, 이 모두가 원래 1부작 때 구상이 나왔다가 촛불 집회 등 국민의 반발로 살짝 뒤로 물러선 것이었다. 껍데기를 조금 바꾼 게 박근혜 정부의 2부작 아닌가? 그리고 '난 두 사람 다 싫어요.' 하는 3부작이 나오면 민영화는 완성된다. 예를 들면 정몽준, 김문수 혹은 김무성, 이런 사람들이 민영화 반대가 소신인 사람들은 아니지 않은가? 〈반지의 제왕〉 3부작처럼 지금 민영화 3부작의 2부를 보는 중 아닌가? 오, 저들은 완결 편을 지금 촬영하는 중? 기다리시라, 개봉 박두?

농업에 관심 없는 것도 두 정부를 관통하는 일관성이다. 농협을 금융 지주회사로 바꾼 게 지난 이명박 정부다. 박근혜 정부의 농업 정책, 누구 한 번 들어보신 적 기억나시는가? 그냥 하던 대로, 농민들은 어차피 나이들도 많고 적당히 표만 받다가 농업 정리되면 그만이다, 이게 현 경제 수장들의 농업 이해 아닌가?

하여간, 이명박과 박근혜, 두 박 시대를 넘어서는 경제가 무엇인가, 그 고민을 지금 시작해야 할 것 같다. 컴퓨터의 undo 명령어가 탈박 경제는 아니다. 뭐든지 이명박과 박근혜가 했던 걸 원래대로 돌려놓는 것, 그건 불가능하고, 그게 미래 가치도 아니다.

탈박 시대의 경제, 그 탈박 경제에 대한 구상을 지금하지 않으면, 오는 2017년에 경제민주화 같은 1년짜리 대선용 개념에 또 휘둘리게 될 것이다. 그게 뭐든, 먼저 내놓고 지금부터 그걸 가다듬는 준비 기간이 되는 게 반드시 필요하다. 야당의 경제 구상은 뭐냐? 탈박 경제, 그 내용을 채우는 데에 시간이 넉넉한 것은 아니다.

‘쿠즈네츠 함수’ 우리에게도 유효할까?

우리가 잘살게 되면 과연 많은 문제가 해결될 것인가? 경제학 이론 중에 이 문제에 관해서 가장 정통한 연구는 1971년 노벨 경제학상을 수상한 사이먼 쿠즈네츠의 실증적 연구라고 할 수 있다. 쿠즈네츠의 가설에 의하면, 경제성장 초기에는 불평등이 증가한다. 하지만 일정 수준의 경제성장 단계를 넘어가면 오히려 경제적 불평등이 줄어든다는 것이다. 이를 역U자형 함수 혹은 쿠즈네츠 커브라는 이름으로 부른다.

우리가 지겹도록 들었던 ‘파이’를 키우자는 얘기는 이런 쿠즈네츠 함수가 존재한다는 가설에 근거하고 있다. 초기에는 불평등이 늘어나지만 이 단계를 참고 버티면 언젠가는 개선되는 시점이 온다는 것이다. 쿠즈네츠의 연구는 자본주의 경제가 한참 어렵던 1930년대와

'영광의 30년'이라고 불리는 2차 세계대전 이후의 전후 복구 단계를 주로 비교하고 있다. 그는 1985년에 사망하였다.

『21세기 자본』이라는 제목을 달고 있는 프랑스 경제학자 피케티의 분석은 쿠즈네츠가 사망한 이후에 벌어진 일들도 포함하고 있다. 쿠즈네츠 사후, 이 관계가 역전되었다는 것이 그의 논지라고 할 수 있다. 잘살면 문제가 해결되느냐, 잘살아도 문제가 해결되지 않거나 오히려 심각해지느냐? 우리는 지금 이 논쟁 한가운데로 들어가고 있다.

이런 쿠즈네츠 함수가 환경 분야에도 도입되어 있다. 생태에서의 역U자 함수도 작동 방식은 같다. 경제 발전의 초기 단계에는 환경 문제가 점점 심해지지만, 일정 수준을 넘어가면 이제 그 문제는 개선되는 방향으로 간다는 것이다. 생태주의자들이 기계적으로 경제 성장이나 풍요에 대해서 반대만 하지 않는 것은 환경 쿠즈네츠 함수의 존재를 아예 부정할 필요가 없기 때문이다. 주로 유럽 사회들을 모델로 하는 생태 사회, 생태 경제 이론들의 배경에는 환경 쿠즈네츠 함수가 존재한다. 스위스나 스웨덴, 이런 나라들이 1인당 국민소득 6만 달러를 넘어가던 시기를 잘 살펴보면, 사회와 경제의 생태적 전환이 일정하게는 존재한다. 1인당 에너지 사용량도 줄어들었고, 여러 가지 생태 지표들이 좋아졌다. 그리고 농업에 대한 사회적 지지도 높아졌다. 이런 걸 보면 경제적인 것이 생태적이고, 생태적인 것이 또한 경제적이라고 말하는 것이 아예 거짓말은 아니다.

자, 우리의 문제로 돌아와 보자. 1인당 국민소득 2만 달러, 3만 달러, 이렇게 명목소득은 분명히 높아졌다. 그동안 개개인의 빚은 엄청나게 늘어났고, 안정된 직업은 눈에 띄게 줄어들게 되었다. 이제 청년들은 비정규직도 감지덕지, 파견직보다 낫다고 생각하면서 살게 되었다. 실질적인 가처분소득은 개선되지 않는다. 분명히 불평등한 사회가 되었다. 4대강과 원전 문제를 기준으로 보면, 생태적으로 무엇인가 개선되었다고 보기도 어렵다. 경제적인 의미든 생태적인 의미든, 아름답던 시절의 쿠즈네츠 함수 작동 가능성을 기대하며 여전히 낙관할 수 있을까? 아니, 쿠즈네츠 함수는 맞지만 우리는 실질소득이 줄어들고 있으니까 경제적으로는 과거로 돌아가는 것이라고 보는 게 맞는 것일까?

대혼동과 대위기의 시대, 여전히 우리의 미래를 낙관적으로 바라볼 수 있는 근거가 무엇인가, 우리 모두 차분히 한 번 고민해 볼 수 있으면 좋겠다. 조용히 기다리고 있으면 우리의 삶이 과연 나아질 것인가?

‘싱글세’와 동거에 대한 인센티브

일본 40대 남성의 3분의 1이 독신이라는 발표가 나와 일본이 한참 떠들썩했던 적이 있었다. 서구의 솔로 현상은 고소득자들에게 주로 해당되는 경향을 보였다. 그리고 가난한 사람들 특히 보수주의 성향의 빈민들은 상대적으로 높은 출산율을 보인다. 프랑스에서는 ‘자유’를 신봉하는 좌파 성향 국민들의 저출산이 결국 정치 지형을 바꾸게 된다는 사회학 연구가 나왔다는 얘기도 건네 들었다. 한국과 일본은 전형적으로 ‘가난해서 결혼을 못하는’ 양상을 보여 준다. 상대적으로 넉넉한 스웨덴 솔로에 비해서 차별 받고, 푸대접 받는 미국 솔로들의 막막한 상황을 그린 에릭 크라이넨비그의 『고잉 솔로 싱글턴이 온다』는 정말로 간만에 가슴 절이는 심정으로 봤던 책이다.

우리에게도 올 게 왔다. 드디어 ‘싱글세’ 논란이 터져 나왔다. 넓은 의미로 보면, 우리에게는 이미 싱글세가 존재한다. 주로 가장들에게 혜택이 집중된 임대주택 제도나 회사 보너스 방식 같은 것들이 간접적인 싱글세라고 할 수 있다. 지난 대선 때 박근혜 공약이었던 세 번째 아이부터 대학 등록금을 면제해 주겠다는 것도 간접적 싱글세다. 결혼도 안 하는 사람들에게 세 번째 아이에게 특혜를 집중하겠다는 얘기가 고맙게 느껴질 리가 없다. 다둥이 정책도 기본적으로는 싱글세의 성격을 가지고 있다. 최근에 논란이 된 신혼부부에게 임대주택을 우선적으로 주겠다는 것도, 솔로들에게는 서러운 일일 뿐이다. 연애 못하고, 결혼 못하는 것도 서러운데, 정부의 복지 정책에서도 따돌림을 받고 있다.

생태주의의 눈으로 엄격하게 보면 솔로 현상은 지금까지 벌어진 생태적 문제에 대한 문제들이 해소되어 가는 또 다른 힘이기는 하다. 우리는 주택 보급률을 얘기하지만 일본은 빈집 비율이 13%를 넘었다느니, 이게 몇 %까지 갈 것이라느니, 이런 걸 가지고 논쟁 중이다. 인구 증가를 빌미로 시멘트에만 돈을 쏟아붓더니, 급기야 사람들이 사랑과 출산도 못하는 지경에 이르렀다. 여기에 대한 반대급부로 싱글 현상이 생긴 건데 어떤 생태학자도 이런 기이한 현상을 예측하지는 못한 것 같다. 어쨌든 단기적으로 생기는 이러한 인구 불균형이 많은 경제 문제를 일으키는 것은 사실이다.

선진국 가운데 이 문제를 어느 정도 푼 나라는 프랑스 외에는 아직까지 없다. 스웨덴이나 독일도 해법에 도달했다고 보기에는 아직 좀 거리가 있다. 이런 나라들이 공통적으로 최근에 취한 조치는 동거를 보호하기 위한 법적 제도들을 정비한 것이다. 동거하다 보면 결혼도 하는 법, 그러다 보면 '잘못해서' 아기를 낳을 수도 있는 법, 이런 예상되는 '사태'를 대비한 제도라고 할 수 있다. 결혼해라, 이렇게 보수적으로 얘기하는 것보다는 68혁명 식으로, 동거에 대한 자유를 보장하라, 이렇게 하는 게 더 부드럽다. 그리고 효과도 더 좋을 수 있다. 동거만 해도 공공 임대주택에 좋은 권리를 주겠다, 이게 신혼부부에 대한 지원책보다는 문화적이고 부드럽다. 그리고 실효성도 높다. 이렇게 했던 유럽 국가들이 그래도 솔로 문제를 좀 완화시켰다.

결혼과 솔로, 문화 갈등을 넘어 새로운 계급 갈등의 소지가 있을 정도로 첨예해진다. 그 중간 지대에 동거를 설정하고, 여기에 대한 인센티브를 만드는 것, 이런 논의를 좀 더 해 보면 좋겠다. 우리의 10대, 20대의 인생이 솔로와 동거 사이에 있는 게, 주야장천 평생을 솔로로만 지내는 것보다는 풍성하지 않겠는가? 기왕 싱글세 얘기 나온 거, 동거와 솔로에 대한 우리들의 이해가 높아져 보다 성숙한 사회가 되기를 바란다.

한국형 조합 아파트, 주거 해결에 내수 회복까지

지금(2014년 4월)의 경기 불황이 언제까지 갈 것 같으냐는 질문을 종종 받는다. 솔직히 대답하기가 난감하다. 박근혜 정부가 지금 하는 정책은 집값 올리기와 풍선 누르기, 딱 두 가지다. 집값 부양책이야 아주 익숙한 토건 정책이다. 풍선 누르기는 고궁이나 학교 앞 호텔 건립을 의미한다. 어느 정도 공급이 찬 상태에서 호텔 하나를 만들게 해 주면 좀 오래되었거나 운영이 곤란해진 호텔 몇 개가 망하게 된다. 지금 골프장이 그렇다. 새로 좋은 설비를 갖추고 잘 디자인된 골프장 하나가 생기면 오래되고 낙후된 골프장 몇 개가 망한다. 풍선 누르기와 마찬가지다. 박근혜 대통령은 이렇게 규제를 없애 새로 호텔을 지으면 경제가 좋아진다고 생각하지만, 풍선을 누른다고 안에 든 공기가 늘어나지는 않는다.

당분간 아파트 공급은 늘어날 것이다. 경기가 좋아서가 아니라 오히려 경기가 나빠서 그렇다. 당장 부도를 막아야 하는 건설사 입장에서 얼마라도 돈을 돌리는 데 가장 쉬운 방법은 일단 분양부터 하는 것이다. 장기적으로는 채산성 악화로 부도 위험성이 커지지만, 그렇다고 당장 망할 수는 없는 것 아닌가? 폭탄 돌리기라는 표현이 딱 맞다. 확률적으로 보면 결국 누군가는 폭탄을 맞는다.

이 상황에서 세입자들의 형편은 더욱 어려워질 것이다. 그리고 어려워진 세입자들의 줄어든 씀씀이가 국민경제를 더욱 어렵게 만들 것이다. 이 상황을 돌파할 경제적 대안, 이게 바로 앞으로 다가올 총선과 대선과 같은 큰 선거를 향해 가는 야당의 정공법이라고 생각한다.

조합 아파트는 이런 고민 속에서 등장한 정책 대안이다. 스웨덴의 경우 협동조합 주택 공급량은 전체 주택 공급량의 22%를 차지한다. 결과적으로 가격도 잡고, 공급도 잡게 되었다. 프랑스는 국가가 좀 더 적극적으로 나서서 임대주택 공급을 늘리는 쪽으로 진화했고, 스웨덴은 협동조합이 자체 자금력을 갖추고 소유 쪽으로 진화했다. 두 가지의 장점을 합쳐 한국형 조합 아파트를 만들어 봤으면 한다.

국가가 자금의 일부를 지원하고 지자체에서 택지와 기반 시설을 지원하면 수년 내에 조합 아파트 단지에 사람들이 거주할 수 있다. 물론 기본적으로는 협동조합에 가입한 조합원들의 자발적 노력이 중심이 되어야 한다. 이런 정도의 틀이면 100㎡(30평 규모) 이하의 집들을 지금의 전세가보다 낮은 가격으로 공급할 수 있다. 조합과 조합원 사이의 지분 비율 조정으로 판매와 이사 등을 자유롭게 하면서도 시중가보다 싼 조합 아파트를 유지할 수 있다. 예를 들면 4인 가정용의 조합원 지분을 1억 원, 혼자 사는 솔로용 소형가구는 3,000만 원, 이 정도에 건설비를 맞출 수 있다면 현실적 절충안이 될 것이다.

매매 시장과 임대주택, 그 양쪽 모두 선택이 어려운 중산층 30~40대 가장에게 조합 아파트는 매력적인 선택이 될 수 있다. 청년 솔로 주거에도 부분적 대안이 된다. 이렇게 해야 결국 전세난을 마감할 수 있다. 박근혜 정부의 토건 방식 해법으로는 전세가만 더 올라가게 할 뿐이다. 장기적으로 보면 중산층의 주거비가 줄어야 내수가 살아난다.

대규모 택지 확보가 쉽지 않은 서울은 조합 아파트가 장기 과제일 것이지만 공유지가 많은 경기도 등 지방에서는 바로 시작할 수 있다. 협동조합이 성공적으로 아파트 사업을 할 수 있는 시대, 그게 토건에 대한 생태적 대안이라고 생각한다. 조합 아파트에 공동육아 등 사회 서비스를 풀세트로 탑재하면? 부모들의 천국이 된다.

한국 사회, 부자 할아버지들과 40대 여성

10년 전 나는 두 번째 책을 위한 데이터를 한참 정리하고 있었고, 쿠즈네츠라는 경제학자의 글들을 읽고 있었다. 내가 해 보고 싶었던 것은 50~60대 남성 엘리트의 시각과는 다른 눈으로 한국을 분석하는 것이었다. 힘이 없거나 대변되지 못하는 사람들이 한국에서 어떤 어려움에 부딪히고 있는지, 그런 걸 너무너무 알고 싶었다. 그렇지만 내가 책을 쓰는 동안에 한국은 더더욱 어려워졌다. 한국의 최고위층은 박근혜 대통령과 함께 50~60대를 넘어 70대로 올라가 버렸다. 지난 10년간, 한국은 부자 할아버지들이 지배하는 나라가 되었다. 그 끝에서 나온 게 손사를 위해서 쓴 교육비를 1억 원까지 감세해 주자는 제안이 아닐까 싶다. 이 정도면 지배층이 미친 거다. 할아버지의 재력과 손자의 학력이 정비례한다는 세간의 지적을 이런 식으로 증명해 보일 필요까지는 없지 않은가?

지난 10년간 다루어 보고 싶었던 주제는 어느 정도 다룬 것 같은데, 아직도 출간은 엄두도 못 내는 주제가 하나 있다. '젠더의 경제학'이라고 부를, 성별 문제를 좀 더 전면에 내세운 경제 분석이다. 너무 어렵고, 돈도 많이 드는 연구라서 10년째 엄두를 못 내고 있다. 두 번 정도는 출판사하고 출간 일정까지 협의를 하기도 했지만 결국 힘이 들어서 포기했다. 그 사이에 나의 노안도 심해졌고, 이젠 30대 때처럼 그렇게 밤을 샐 수도 없다. 그런데 내 동료 한 명이 '40대 여성'에 대해서 연구해 보라고 진지하게 부탁을 하였다. 40대? 그것도 여성?

60대 이상의 투표 성향과 20~30대의 정치적 경향은 이미 어느 정도 알려져 있는 상태이다. 그리고 40대는 상대적으로 야당 성향이 높게 나온다. 그렇지만 40대 남성이 아니라 여성의 경우는? 주요 여론조사의 자료들을 살펴보니까, 40대 여성이라는 항목으로 분석이 되어 있지는 않다. 40대, 전업주부, 여성, 이런 키워드들을 모아서 간접 분석하는 수밖에 없다. 물어보니까, 모집단 숫자가 적어서 그렇게 세부적인 항목에 대해 세세한 분석까지 하면 표본 오류가 너무 높아진다는 것이다.

40대는 야당 성향이 높지만 남녀로 나누어 보면 여성의 경우는 좀 다를 것이라는 추세 분석들은 가끔 있다. 현재 최경환 부총리가 추진하는 경제를 소위 '부채 주도형 성장'이라고 본다면, 이걸 뒷받침하는 사회적 흐름 중에는 40대 여성이 한 축을 이룬다는 가설이 얼마 전부터 제기되고 있다. 40대 여성, 나도 안 해 봤던 질문이다.

30대 초반, 출산과 함께 일자리에서 밀려난 전업주부들이 상당수 있을 것이다. 사회화되지 못한 개별적 보육과 육아에서 희생했을 것이고, 집이 있으면 있는 대로, 없으면 없는 대로 주거 조건과 온몸으로 싸워 왔을 것이다. 예전에는 '짬짜미', 요즘에는 김부선 사건으로 존재감을 제대로 과시해 준 아파트 부녀회의 핵심도 여기다. 미국의 '사커맘'이 약간 변형되어 도입된 '목동 식 사커맘' 역시 40대 여성의 얘기이다. 중간 간부 이상으로 승진하기가 어려운, 정말로 고달픈 워킹맘 역시 이 집단의 얘기이다. 이게 다인가? '권사님'으로 상징되는 대형 교회의 사회경제적 주축 역시 이 40대 여성의 얘기이다. 작년에 한국을 강타한 영화 '은밀하게 위대하게'의 김수현 열풍 역시 바로 이들이 만들어낸 현상이었다.

한국 경제가 지금 워킹맘과 전업맘으로 나뉘어 갈등하고 있는 이 40대 여성들과 어떻게 대화하고, 이들에게 행복을 만들어 줄 수 있을지 또 다른 숙제 앞에 서 있다. 답을 찾지 못하면, 미래가 너무 어둡다.

대기업들도 국정감사를

국회의원들이 진행하는 국정 전반에 관한 감사는 당사자들이야 어떻든 연구자로서는 감춰진 자료들이 나오는 귀중한 통로다. 분당 이전 민주노동당 현애자 의원이 국정감사 때 밝혀낸 아토피에 관한 지역별 통계는 여전히 이 분야 연구의 바이블과도 같다. 요즘 국회의원들이 일을 제대로 안 한다는 원성이 하늘을 찌른다. 대부분은 법을 제때 안 만든다는 지적이다. 그렇지만 국정감사에 대해서만큼은 다다익선이라고 할 수 있다. 많이 하면 할수록, 자세히 하면 할수록 세금 낭비도 줄고, 부패도 줄어들 것이다.

내 질문의 요건은 간단하다. 정부 기관과 공기업 말고, 대기업들도 국정감사를 받게 할 방법이 없느냐는 것이다. 간만에 법률을 좀 뒤져 봤더니 현재도 가능하다. 다만 '본회의가 필요하다고 의결한 경우'라는 단서가 달려 있다. '국정감사 및 조사에 관한 법률'은 예외적으로 7조 4항에서 감사원법의 감사 대상 기관도 국정감사 대상이 될 수 있다고 규정하고 있다. 그리고 감사원법은 국가나 지방자치단체에 의해서 보조금, 장려금, 조성금, 출연금 등 재정 지원을 받은 자의 회계를 감사할 수 있도록 '선택적 감사 사항'을 규정하고 있다. 이 두 가지를 연결시켜 보자. 예를 들면 연구 개발비를 받거나 정부 사업에 참여해서 돈을 받은 기업 혹은 정부 발주 사업을 수주한 곳들은 감사원의 감사 대상이고, 국회 본회의 의결이라는 절차를 밟으면 지금도 국정감사를 할 수 있다.

조금만 더 생각해 보자. 한국의 공기업 등 정부 기관은 기본적으로 '공공 기관의 운영에 관한 법률'에서 정한다. 그렇지만 국정감사법 7조 3항은 이와는 별도로 한국은행, 농업협동조합중앙회, 수산업협동조합중앙회, 이 세 곳을 콕 짚어서 국정감사를 받으라고 하고 있다. 정부 위탁 사업을 많이 하고, 정부 돈도 들어가니까 국정감사를 받으라는 것이다. 이런 식으로 따지면 4대강에 참여한 건설사들, 정부의 장기 연구 개발에 주요 파트너로 참여하는 기업들에 대해서 국정감사를 하지 말라는 법은 없다. 농협, 수협은 협동조합이지 공기업이 아니다. 그렇지만 정부 돈을 많이 쓰면 당연히 국정감사를 받아야 하는 것 아니냐, 이런 논리이다.

이걸 가장 부드럽게 처리하는 방법은 국가재정법이 규정하고 있는 예비 타당성 평가 흔히 '예타'라고 하는 제도의 평가 대상을 준용하는 방식이다. 일일이 국회 본회의에서 한다, 안 한다, 별도 의결할 것 없이 대규모 사업을 실시하기 전에 미리 평가하게 되어 있는 사업들과 일정 규모 이상의 연구 개발 사업 등을 법률 안에 집어넣으면 가능하다.

대기업이 국정감사를 받게 되면 어떤 일이 벌어질 것인가? 그 안에서 무슨 일이 벌어지는지 전혀 알 수 없는 기업 경영이 최소한 지금보다는 투명해지고, 그 안에서 개선이든 혁신이든 새로운 변화를 기대할 수 있다. 물론 귀찮을 것이다. 그러나 한국 국회가 최소한 1년에 한 번 정도는 그 기업을 들여다보면서 시어머니 노릇을 한다는 게 알려지면 기업 신인도도 국제적으로 높아질 것이다. 장기적으로 보면 국민이나 기업이나 전부 좋은 일이다. 국정감사에서 기업의 모든 걸 탈탈 뒤질 수는 없다.

때만 되면 국회가 논다고 난리다. 국정감사를 제때 할지 이것도 모른다. 이 기회에 국정감사에 정부 일 많이 하는 특정 대기업들도 포함시키는 방향으로 제도 개선을 하면 좋겠다. 국회의원이 대기업을 국정감사 대상으로 한다, 이건 확실히 획기적이지 않은가?

고속도로 과속 구간 단속하자

승용차에도 정치라는 것이 개입할까? 스위스에는 실제로 승용차 운전 수당(Partie des automobilists)이라는 것이 있었고, 나중에 극우파 정당의 중요한 뿌리 중의 하나가 된다. 그때 내건 구호는 과속 카메라를 없애자, 유류세를 줄이자, 이런 단순한 것이었다. 운전 그 자체가 일종의 정파를 형성할 수 있는 힘을 가졌다는 것이 놀라울 뿐이다.

되도록 현장에 많이 가 보자는 생각을 하다 보니, 나도 고속도로 운행이 많은 편이다. 지난 몇 년간 기억을 되돌아보면, 최근에 부쩍 고속도로에서 과속하는 차들이 늘어났다는 느낌을 받았다. 소위 '칼질 운전'인데, 깜박이는 켜지 않은 상태로 차와 차 사이를 빠져나가는 운전을 말한다.

경찰청에서 지난해에 공개한 자료 가운데에는 좀 재미있는 것들이 들어 있었다. 시속 180㎞ 이상 과속으로 달리다 적발된 건수가 가장 많았던 도로는 신대구~부산 간 고속도로다. 그 다음이 영동고속도로, 통영고속도로 순이었다. 제조사별로 보니까 61%가 수입 차였고, 수입차 가운데 차종별로 살펴보면 벤츠, BMW, 아우디 순이었다.

국내 차로는 현대 차가 가장 많았다. 내가 최근 고속도로 과속이 많이 늘어났다는 사실을 체감적으로 느끼게 된 데에는 두 가지 이유가 있는 것 같다. 우선 수입 차가 급격하게 늘어나면서 차들의 속도 능력 자체가 개선된 것을 생각해 볼 수 있다. 또 하나는 실시간 교통정보를 다루는 정보 통신 기술이 발달하면서, 경찰이 새로운 단속 카메라 설치를 거의 실시간으로 업데이트해서 운전자들에게 제공해 준다는 점이다. 그야말로 단속을 하나마나한 상황이 생겨났다고 할 수 있다.

경제적으로만 생각해 보면, 차량의 최고 속도를 높여 주어 독일처럼 고속에서의 승용차 능력을 높이는 것도 한 방법이다. 이 가능성에 대해서 아예 배제하지는 않겠다. 그렇지만 한국의 사회적 합의는 12인승의 과속을 막기 위해서 기계적으로 110㎞에 차량의 출력을 제한하는 방향으로 가고 있다.

산업적 효율성을 선택할 것인가, 아니면 사회적 안전을 택할 것인가, 이 문제와 관련해서 한국의 법률은 후자 방향으로 가고 있는 듯싶다. 물론 실효성에 대해서는 여전히 많은 불만들이 있는 모양이고, 효율성에 대해서도 의문시된다. 법정 최고 속도가 110㎞라고, 약간의 허용 구간도 없이 그냥 110km로 상한을 맞추는 것이 더 위험해 보이기도 한다.

하여간 점점 더 외제 차 보급은 늘어날 것이고, 발달한 IT 환경에서 경찰의 단속도 지금 상황으로는 점점 더 한계점으로 몰릴 것이다. 카메라를 아무리 늘리면 뭐 하나, 어디에 있는지 이미 다 알고 있는데.

기술적으로는 고속도로 전 구간을 분할해서 구간 단속 방식으로 하면 문제가 풀릴 것 같다. 카메라 수를 줄여도 되니까 비용 자체는 줄어들게 될 것이다. 지금의 점 방식이 아니라 구간 방식으로 하면, 카메라만 피하면서 '칼질'하는 위험한 운전은 원천적으로 줄일 수 있는 것 아닌가?

180km 이상 주행하는 차들, 그들 중 진짜 잠깐의 실수로 단속에 걸린 차들만 억울해 하는 지금의 방식, 이건 좀 아닌 듯싶다. 분할형 구간 단속으로 전환하면 칼질을 하기 어려워진 운전자들의 볼멘소리가 이어지기는 하겠지만, 사회적으로는 안전도를 높일 수 있지 않겠는가? 더불어 사고를 줄이게 되니까 보험료도 조금은 줄일 수 있을 것이다. 생명의 경제적 가치, 그런 것을 한 번 고민해 보면 좋겠다.

지방자치, 새 시대가 오는가?

지난 2014년 지방선거가 끝나고 새누리당의 두 젊은 도지사의 당선인 시절 행보가 사람들의 눈길을 끌었다. 남경필 경기도지사 당선인은 야당에 사회 통합 부지사라는 새로 만들어지는 자리의 추천을 부탁하였다. 여기에 대해서 정책 협의부터 하자는 답변도 흔쾌히 받아들였다. 원희룡 제주도지사 당선인은 새로 꾸려지는 인수위 위원장으로 자신과 선거에서 맞붙었던 신구범 후보를 맞아들였다. 여당과 야당 사이에 일종의 연합 정부가 구성되는 것인데, 한국에서는 아직 경험해 보지 않은 일이다.

일본 경제의 1990년대 복제판처럼 한국 경제가 전개되고 있고, 특히 지역 경제는 상당히 흡사하다. 차이점이 있다면 '자치'라는 단어로 일본이 지역에서 일정 수준의 주민자치를 만들어 내는 데 비하여 우리는 완전히 지방 토호들의 소왕국이 되어 있다는 점 정도일 것이다. 그 차이점이 수도권 집중도의 차이를 만든다고 생각한다. 한국의 청년에게는 무조건 수도권으로 가야 한다는 중압감이 크게 작용하지만 일본 청년들에게는 그런 게 없다.

골프장, 공항, 테마파크가 일본의 90년대 지방 경제를 무너뜨린 주범들이었고, 그걸 더 크게 하자고 지방 도시들끼리 서로 합병하기도 하였다. 우리나라도 대체적으로 비슷한데, 여기에 지역별로 극심해진 지역감정이 더해진다. 수년 전까지 지방 공단 건설과 골프장, 그리고 지방 도로 건설로 움직이던 토건의 논리가 최근에는 관광의 논리로 바뀐 미세한 차이점이 있다. 겉에 거는 모습들은 조금씩 바뀌지만 근본적으로는 지방에 있는 건설사 등 지역 의회를 둘러싼 지역 엘리트들 주머니로만 돈이 가는 메커니즘이다. 대표적인 게 대구 밀라노 프로젝트이다. 중앙에서 갖은 명목으로 돈을 보내기는 엄청나게 보냈는데, 이게 누구 주머니로 들어갔는지 이제는 흔적도 찾아보기 어렵게 되었다.

지방 토호들이 중앙에서 끌어온 돈을 가지고 돈 잔치하는 흐름을 어떻게 견제하고, 현실적으로 지방 차원의 공공성을 강화시킬 수 있을 것인가, 여기에 대한 고민이 필요할 것이다. 제주도에 갈 때마다 느낀 것인데, 이 지역이야말로 대중교통의 대대적 확충이 필요하다. 홍수가 없던 화산지형의 섬에 얼마나 도로를 지어 댔는지 홍수가 다 생겨났다는 거 아닌가. 그 돈으로 도에서 셔틀버스라도 농촌 지역에 운용을 했다면, 제주도 구석구석이 지금보다는 더 높은 삶의 질을 가지게 되었을 것이다. 마찬가지 문제가 경기도에도 있다. 제대로 된 긴급 의료 시설이 거의 없는 경기 북부의 복지 기반의 확충은 정말로 시급해 보인다. 결국 토호들에게 돈이 가는 동안에 실제로 국민으로서 누려야 할 기초 권리가 무시된 것 아닌가?

스위스 취리히는 삶의 질 세계 1위인 곳이다. 그곳에는 한국의 정치인들이 여야 가리지 않고 모델로 삼았던 두바이나 싱가포르 혹은 상하이 같은 곳처럼 높은 건물이 있는 것은 아니다. 1인당 국민소득 6만 달러는 벌써 몇 년 전에 넘어갔다. 촘촘하게 꾸며진 주민자치와 직접 민주주의, 그런 게 취리히의 힘이다. 게다가 취리히는 독일어권 우파들의 도시이다. 그 정도 모델을 두 도지사 당선자가 시도하지 못할 이유는 없다고 본다.

탈토건을 통해서 생태, 문화, 젠더, 그렇게 나아가면 자연스럽게 소득도 높아지고, 문화도 꽃피게 된다. 그걸 위해서는 실제로 지역 공동체의 밑바닥에서부터 자연스러운 참여를 할 수 있는 열린 방식의 토론과 논의가 많아야 한다. 그러면 정말 우리에게도 새 시대가 열릴 수 있다. 지난 2014년 지방선거를 통해 주요 정당들이 던진 메시지를 평가해 보면, 새누리당은 자기끼리만 기득권을 누리겠다는 얘기로 들렸고, 새 정치는 아직도 뭔지 모르겠다. 그러나 우리는 새 시대를 열어야 한다. 서울이 아닌 지역에서의 대안, 그게 우리가 갈 길이라고 생각한다.

좋은 정책에 좌우 없다. 신안군의 기적

전남 신안군은 DJ의 고향이다. 그렇지만 정작 DJ가 대통령이던 시절에 특별한 배려는 없었던 모양이다. 섬이 많은 이 지역, 오래된 안전 규정에 막혀 밤에는 배가 다닐 수 없었다. 결국 노무현 대통령 시절, 규정을 정비해 밤에도 배가 다닐 수 있게 되었다. 그랬더니 새로운 문제가 생겼다. 배는 다니지만 버스가 없으니, 배를 타고 이동한 사람들이 꼼짝없이 택시를 타야 하는 것 아닌가?

가장 사업성이 떨어지는 버스 노선부터 군청에서 직접 운영하기 시작해, 결국 6년 만에 완전 버스 공영제가 시행되었다. 서울 등 이제는 몇 군데에서 준공영제로 갔지만, 완전 공영제는 전국에서 신안군이 최초다. 65세 이상, 기초 수급자, 장애인은 무료로 했고, 일반인은 2,000원에서 1,000원 원으로 버스 요금을 내렸다. 학생은 500원.

사업성이 떨어지는 노선들에는 지방정부에서 지원을 하는데, 신안군의 경우는 공영제를 하면서 지원금이 많이 줄어들어 별로 손해를 보지 않는 결과를 만들어냈다.

이 과정에서 기대치 않았던 두 종류의 효과가 나타났다. 우선은 경제 효과다. 사람들의 이동이 많아지면서 지역 경제가 좋아졌다. 병원 신설은 기대할 수도 없었는데, 사람들이 모여드니까 병원도 새로 와서 열었다고 한다. 그러나 더 놀라운 것은 우울증 감소 효과다. 잘 오지도 않고, 불편하다고 느껴졌던 버스를 이제 편리하게 사용할 수 있고, 그 덕에 사람들이 자주 만나 놀다 보니, 이 지역의 우울증 환자들이 줄어들었다고 한다. 버스 회사의 강력한 반대로 운행되지 못하던 광역 버스의 진출은 보너스다.

에스토니아의 수도 탈린 등 유럽의 30여 개 도시는 대중교통을 무료로 전환했고, 보다 많은 도시들이 시민 이동권을 이유로 대중교통 체계를 정비하는 중이다. 10여 년 내에 많은 유럽의 도시들이 무료 대중교통 도시로 전환될 것이다. 꼭 좌파들만 이걸 주장하는 게 아니라 경우에 따라서는 우파들이 이런 걸 주도하기도 한다. 좋은 정책에 좌우가 있겠는가.

버스 공영제로 가면 상상해 볼 수 있는 게 많다. 노인들에게 우선적으로 이동권을 확보해 주는 것, 이건 신안군에서 이미 보았다. 전체적으로 하나의 시스템 안으로 들어오면 월 정액권, 주 정액권, 주로 패스라고 불리는 주 사용자에 대한 할인 혜택도 쉽게 실시할 수 있다. 그 외에도 새로운 복지들을 생각해 볼 수 있다.

출산 대책으로 임산부들이 무료로 버스를 이용할 수 있게 하는 것에는 모두가 동의할 수 있을 것 같다. 그리고 일시적으로 삶이 어려워진 실직자들도 버스를 무료로 탈 수 있게 해 주는 것, 이것도 동의가 가능한 것 아닌가. 살다보면 우리 모두 한 번쯤 실직의 위험을 만나게 되는데, 버스라도 타고 여기저기 돌아다닐 수 있게 해 주는 것, 이 정도는 합의할 수 있지 않겠는가.

경기도에서 서울로 출퇴근하는 사람들은 아침저녁으로 만원 버스 안에서 선 채로 고속도로를 달리고 있다. 버스 회사의 수익성만 고려하다 보니 생긴 현상이다. 버스 공영제가 되면 이런 것들도 개선될 수 있다. 공영제가 갖는 장점이다. 낮에 노는 버스는 행사용 혹은 관광용 등 얼마든지 다른 방식으로 활용할 수 있지 않겠는가.

지금 교통 범칙금 같은 교통 부분에서 벌어들이는 돈은 일반회계로 간다. 그냥 정부 쌈짓돈이다. 이번에 평균 연비 규제 등 자동차와 관련된 새로운 벌과금이 신설될 것으로 전망된다. 이런 걸 버스 공영제의 예산으로 쓰면, 운전자 입장에서도 도움이 된다. 버스 교통 분담률이 높아지면 확실히 길은 덜 막히게 되고, 그 혜택은 운전자도 받는다.

각급 선거에서, 특히 지방선거에서 우리의 대중교통 체계를 발전시키는 계기가 만들어졌으면 좋겠다. 몇 년이 걸리더라도 완전 공영제로 가는 첫발을 뗄 수 있었으면 한다.

농업교육에도 좌우는 없다

몇 년 전 일본 히로시마 식량회관이라는 곳에서 초등학생 농업교육에 관한 내용들을 보고 가슴이 저린 느낌을 받은 적이 있었다. 독일 등 유럽에서는 수년 전부터 숲 속 유치원이 유행이다. 선진 각국에서는 나름대로 자기들만의 방식으로 어린이들에게 생태에 관한 감성을 교육하려고 한다. 그렇지만 우리는 어떤가? 어린이들에게 감성을 없애고 로봇, 그것도 암기만 할 줄 아는 로봇으로 만드는 것을 교육이라고 생각한다.

가만히 생각해 보자. 앞으로 20~30년이 지나고 나면 석유는 고갈될 것이라는 우려가 팽배해지면서 세상은 난리가 날 것이고, 석유 이외 온갖 희소 자원들도 고갈 위기에 처할 것이다. 그 시기가 되면 생태적 감성과 공감 능력을 갖춘 사람이 존경받을 가능성이 크다.

그런 생태 교육 중에서 가장 효과가 큰 것은, 역시 농업교육이다. 점차 학교 급식이 자리를 잡아가는 지금, 초등학생들이 작은 규모라도 직접 키우고 가꾼 채소를 급식에 사용하면 정말 좋을 것 같다.

농업교육이 좋은 것은 이 과정을 통해서 기다림과 협동 그리고 자연에 대해서 총체적으로 배울 수 있기 때문이다. 이런 게 결정적으로 부족한 것이 한국 교육의 가장 큰 약점 아니겠는가? 누군가를 이겨야만 살아남을 수 있다는 말이 자연스럽게 받아들여지면서 점점 괴물 같아지는 한국의 도시 중심 교육. 작은 텃밭 한 구역이라도 돌볼 수 있다면 이런 도시 교육의 문제점을 보완할 수 있을 것이다. 씨를 뿌리고 물을 주고 기다리는 시간, 황폐해질 대로 황폐해진 지금의 학교에 숨 쉴 공간이 될 것이다. 기다림은 꿈을 꿀 수 있게 해 준다.

지난 2014년 있었던 지방선거 시기 교육감 선거는 진보와 보수, 그렇게 나뉘어서 한판 승부가 진행됐지만, 생태 교육이나 농업교육에 대해서 얘기하는 교육감은 볼 수가 없었다. 농업에 좌우가 있을까? 농업교육에 진보와 보수가 있을까?

농업교육은 그 방향만 사회적으로 합의되면 실현이 어렵지는 않다. 초등학생들에게 농사로 돈을 벌라는 것도 아니고, 대규모로 누군가를 먹여 살리라는 것도 아니다. 자신의 긴 삶에 생태적 감성이 깃들 자그마한 경험으로도 충분하지 않은가? 농민들의 모임인 농협도 있고, 지역별로 생협도 이제는 어느 정도 생겼다. 방향만 잡히면 수년 내로 초등학교 졸업하기 전에 벼농사 한 번씩은 지어 볼 수 있게 만드는 게 가능하다.

우리가 다음 세대에게 무엇을 줄 수 있겠는가, 한 번 진지하게 생각해 보자. 자연의 지혜와 공존 그리고 연결성을 배우는 것에 농업교육을 따라갈 만한 게 있겠는가? 너무 급하게 달려오느라고 한동안 우리는 그런 감성 교육을 받고 누리지 못했다. 그렇지만 이제 우리 모두의 미래를 위해서 농업교육을 도입하는 것에 대해서 고민해 볼 순간이 온 것 같다.

어린 시절, 씨도 뿌려보고 추수도 해 본 사람의 영혼이 얼마나 문화적으로 풍성해질 것인가? 그리고 그렇게 자라난 어른의 공감 능력은 얼마나 탄탄해질 것인가? 왕따, 학교 폭력, 이런 문제를 '감시와 처벌'만으로 풀 수 있다고 생각하지 않는다. 지자체, 농업 단체가 연결만 되면 큰돈 들지도 않는 일, 농업교육 조례를 만들자.

히로시마 시민병원과 진주의료원

히로시마 시내에 폭심지(爆心地)라고 쓰인 작은 팻말이 있다. 이제는 개인 병원 건물이 그 자리에 서 있다. 흔히 '그라운드 제로'라고 부르는 곳으로, 인류 최초의 원자탄이 바로 이 자리 상공 600m에서 폭발하였다. 20만 명 가까이가 죽었다. 원래는 비행기 위에서 보기 편하도록 T자형 다리 끝에 떨어뜨린 것인데, 바람이 불어서 약간 옆으로 옮겨져서 투하되었다. 히로시마 평화공원을 뒤로 하고 폭심지를 건너면 히로시마의 중앙시장이 넓게 펼쳐져 있다. 그 옆으로 후쿠야 백화점이 서 있다.

히로시마 부동산 버블 붐이 붕괴되면서 이 후쿠야 백화점에도 위기가 온 적이 있었다. 그러나 히로시마 시민들이 "우리가 후쿠야를 외면할 수는 없다."며 스스로 나서 백화점 살리기 운동을 해 준 덕으로 이 백화점은 힘겹지만 버티게 되었다고 들었다. 왜 이런 보기 드문 '사태'가 벌어진 것일까? 1945년 8월 6일, 원폭이 투하되던 날, 살아남은 시민들에게 후쿠야 백화점에서 깨끗한 물을 나누어 주었다고 한다. 물! 원폭이 투하되던 날 저녁, 폭진에 오염된 비가 내렸고, 그걸 마신 사람들은 심각한 방사능 2차 후유증에 시달리게 되었다. 그들은 대부분 죽었다고 들었다. 그날 히로시마에 내린 이 죽음의 비를 '블랙 레인'이라고 한다. 같은 테마로 영화도 만들어진 적이 있다. 그 상황에서 백화점 내부에 있던 깨끗한 물을 나누어준 후쿠야 백화점에 대해서 히로시마 시민들이 갖는 고마운 감정이란! 그렇다. 사람은 여전히 감정의 동물이다.

그리고 시장을 나와서 좀 더 도심으로 들어가면 한때 청일전쟁의 일본 사령부 역할을 했던 히로시마 성이 나온다. 핵폭탄으로 완전히 망가지고 나중에 다시 복원되었다. 히로시마 성의 정면 오른쪽에 보면 누렇게 변색된 유카리나무 한 그루가 크게 서 있다. '피폭 수목', 즉 피폭 나무라는 이름을 가진 이 유카리는 유일하게 피폭을 견디고 살아남았다. 죽음의 땅이 된 히로시마에서 모두가 두려워하고 있을 때, 다 타버린 이 나무에서 봄에 잎이 솟아나올 때 히로시마 시민들은 서로 부둥켜안고 울었다고 한다.

히로시마 성을 뒤로 하고 피폭 나무 앞에 서면 바로 앞에 규모가 큰 현대식 건물이 하나 서 있다. 두둥! 그게 바로 '히로시마 시민병원'이다. 수년 전 처음 히로시마를 방문하였을 때, 나를 놀라게 한 것은 바로 이 시민병원이라는 이름이었다. 유럽 같다면, 시민이라는 단어가 이렇게 사용되는 것에 대해서 그렇게 놀랍지는 않았을 것이다. 그러나 유럽식 시민사회에는 어쩐지 어울리지 않을 법한 일본, 그것도 피폭 환자를 다루는 데 세계에서 가장 유능하다고 하는 이 병원의 이름이 시민병원이라니! 만약 한국에 이 병원이 있었다면 십중팔구 시립 병원 혹은 도립 병원, 그도 저도 아니면 '희망의 병원' 같은 그런 애매한 이름을 가지고 있었을 것이다.

이 얘기를 진주 시민과 경상남도 도민에게 길게 들려 준 이유, 너무 뻔하지 않을까? 홍준표 도지사가 뭔가에 씌웠는지, 하여간 석연치 않은 이유로 비밀스럽게 폐업 처리한 진주의료원, 여기가 진주 시민병원처럼 자랑스럽고 당당한 이름을 가지지 못할 이유가 없지 않은가? 원폭의 슬픔 위에서 히로시마 시민들이 시민병원을 세워 올렸다. 지금 우리도 시민병원을 세워 올릴 순간이 아닌가 싶다. 보건복지부가 2014년 국정감사 시기 제출한 자료를 보면 우리나라의 공공 병원 병상 비중은 9.5%로 박근혜 정부 출범 이후에도 계속 줄어들고 있다. OECD 주요 국가들과는 비교하기 부끄러운 기록으로, 영국은 100%, 캐나다 99.1%, 호주 69.2%, 프랑스 62.3%, 독일 40.4%에 이른다. 공공 의료가 취약한 미국도 24.5%로 우리보다 두 배를 훨씬 웃돌고 있다. 우리에게는 더 많은 시민병원이 필요하다.

2015년, 백가쟁명&신좌파의 고민

박근혜 정권이 들어오면서 뉴스를 보거나 신문을 읽는 시간이 확 줄어들었다. 주간지와 일간지 몇 개가 집에 배달되어 오기는 하는데, 1주일에 한 번 손에 집어 들기도 쉽지 않다. 작년까지는 영어판 일본 신문도 배달됐는데, 워낙 안 읽다 보니 잠시 쉬기로 했다. 그렇다고 대신 책을 월등하게 많이 읽느냐, 그러지도 못한다. 그렇다고 또 마땅히 취미가 늘었거나 소일거리라도 제대로 있느냐, 그렇지도 않다. 하다못해 사진도 여느 해와는 달리 거의 찍지 못 하고 있다. 봄이 오는지, 여름이 오는지, 그런 것도 제대로 생각하지 못하고, 그냥 멍하니 시간을 보내고 있다고 보는 게 맞을 것 같다. 박근혜 정부 출범 만 2년이 다가오고 있는 데도 말이다. 현 정권이 출범하고, 나처럼 '멘붕', 그리고 길고 긴 후유증을 앓고 있는 사람들이 적지 않을 것 같다. 뭘 하고 싶지도 않고, 뭘 해야 할지도 잘 모르겠고.

1990년대 동구가 붕괴되고 유럽에 지금과 같은 시기가 온 적이 있었다. 현실 사회주의 붕괴 이후 좌파들이 새로운 이정표를 세우기까지는 시간이 오래 걸렸다. 그때 프랑스 신문 〈르몽드〉에서 마르크스 이후에 어떤 학자가 그 역할을 할 것이냐는 논의에 신문 한 면을 전부 할애한 적이 있었다. '정의론'을 제시한 존 롤스와 독일의 하버마스, 이런 사람들에 대한 논의가 있었다. 몇 년에 걸친 그런 논의 과정에서 젠더, 생태, 인권, 이런 새로운 가치가 노동을 중심으로 형성된 좌파 논의의 새로운 축으로 등장하게 되었다. 이후 이런 과정을 통해서 새롭게 생겨난 사회적 흐름이 좌파의 한 흐름을 만들고, '신좌파'라고 부를 수 있는 게 전면에 나오게 된다. 물론 좌파만 재구성이 된 것이 아니라, 거의 같은 시기에 '네오나치즘'이라는 어정쩡한 타이틀을 단 극우파들도 자신의 진용을 갖추게 된다. 프랑스의 대통령 결선 투표에는 보통 좌우 후보가 맞붙는데, 2002년 대선에서는 우파와 극우파가 결선에서 만나게 되었다. 많은 좌파들은 눈물을 머금고 극우파 집권을 저지하기 위해서 우파인 시라크에게 표를 던졌다.

한국에서 흔히 진보라고 불리는 진영은, 어느 정도는 분화되어 자신의 길을 정립하는 유럽형 정치 지형과 유사한 길을 걸어가고 있다. 비록 정치적 성과는 미미하지만 녹색당도 생겼다. 반면 전통적 보수와 극우파가 분화되어 각각의 길을 걸어가는 유럽과는 달리, 한국에서는 이 둘이 한 몸으로 결합되어 있다. 그걸 생태적 관점에서는 '개발 연대(連帶)'라는 말로 부르기도 했지만, 호남으로 가면 기존의 여야 관점과는 좀 다른 지방 토호 구조가 된다. 노조를 중심으로, 노동자들이 이미 집권을 했고, 그때 생겨난 폐해를 지적하면서 신좌파가 등장한 유럽의 흐름과 달리, 우리는 노동자가 집권하고 그들이 부패해서 대안이 필요해진 역사 자체가 없다. 경제가 압축 성장이었다면, 사회적 분화까지 압축적이었던 것이다.

2016년 총선, 2017년 대선, 2018년 지방선거, 이렇게 연이은 정치의 계절 앞에서 유일하게 미래를 차분히 고민할 수 있는 시간이 바로 2015년이다. 선거는 블랙홀이라서 새로운 얘기를 꺼내기가 어렵다. 바로 2015년이 우리의 미래를 위해서 백가쟁명처럼 논쟁할 수 있는 시기이다. 그렇게 생각해 보면 2015년이라는 이 유일한 개방 공간에서 무엇을 할 것인가, 그게 우리의 미래를 결정한다고 볼 수 있다. 과연 이 시기, 이 공간에서 무엇을 할 것인가에 대해 생태주의든 페미니즘이든, 깊이 고민을 해 보면 좋겠다. 우리가 후손들에게 물려주고 싶은 미래는 무엇인가? 신좌파들의 고민, 지금부터 시작되어야 한다.

정몽준의 성장 vs 박원순의 성숙

독일 본의 베토벤 생가는 내가 세계에서 가장 좋아하는 건물이다. 가끔 내 삶의 중요한 결정들을 그곳에서 했다. 공직을 그만두고 가난한 자유를 선택한 것도 마침 그곳이었다. 문화재의 경제적 가치에 대해서 연구하는 경제학 분야가 있다. 계산 방식은 다양하지만 결국 시민들이 얼마나 가치를 두느냐에 따라서 경제성도 결정이 된다. 이 책의 서두에서 말했던 홍난파 가옥은 지금 전쟁터 한가운데 있다. 바로 옆에서 돈의문 뉴타운 공사가 한창 진행 중이다.

2014년 서울에는 두 개의 전쟁터가 있다. 뉴타운으로 상징되는 도심 주변의 재개발이 그 하나다. 그리고 조선조 600년의 문화가 고스란히 녹아 있는 궁궐을 어떤 식으로든 보존할 것이냐, 아니면 한진그룹에 호텔을 짓게 해 줄 것이냐, 그게 또 하나의 전쟁터다. 도시 생태라는 표현을 쓸 때, 그것은 단순히 자연만을 의미하는 것은 아니다. 앞으로 서울에 어떤 식의 도시 생태를 형성할 것이냐, 이 문제를 놓고 지금 전쟁이 벌어지고 있는 중이다.

그 전쟁터 한가운데 선 장수들이 있다. 마주보고 달려오는 한쪽은 성장이라는 깃발을 펄럭이고 있다. 그 선봉장은 정몽준 의원이다. 익숙한 장수, 익숙한 진법, 새마을운동 이래로 그들은 진격을 멈춘 적이 없다. 한반도 대운하가 잠시 섰다가 4대강으로 이름을 바꾸어 다시 추진되듯, 멈춤 없는 필승의 장수들이다.

그 반대편에는 '아무것도 하지 않는다.'고 욕을 죄다 뒤집어쓰고 있는 박원순 시장이 있다. 그가 아무것도 하지 않은 건 아니다. 형편되는 대로 서울 성곽을 복원하는 중이고, 아현동 고가를 철거했다. 그렇다고 박원순의 노선이 반성장이나 반개발인 것은 아니다. 다만 정몽준과는 다른 방식이라 '필승 장수' 정몽준의 눈에는 그 변화가 보이지 않는 것인지도 모른다.

홍난파 가옥에서 뉴타운 공사장을 바라보며 가만히 생각을 해 보았다. 정몽준이 가고자 하는 길이 성장이라면, 박원순이 가고자 하는 길은 성숙이 아닐까 싶다. 아주 특별한 계획도시가 아니라면 많은 도시들은 초기에는 난개발 단계를 겪는다. 그러다가 물리적 성장이 일정 정도 이루어지면 성숙 단계로 들어간다. 더 많은 건물, 더 많은 도로, 이건 성장의 패러다임이다. 그러나 문화적으로 생태적으로, 그야말로 다양성과 지속 가능성을 추구하는 건 성숙의 단계가 아닐까 싶다. 지금 서울이 가고 있는 길은 도시 단계상 성숙이고, 이때 나오는 파열음은 재개발·재건축 등 그 동안 익숙했던 투기와는 다른 식의 길을 걸으면서 생기는 일종의 성장통이다.

몸이 육체적으로 이미 충분히 성숙했음에도 불구하고 계속해서 더 커지고 싶어 하면 성장이 아니라 오히려 미성숙 상태에 빠진다. 지금 서울은 성장에서 성숙으로 넘어가는 단계인데, 여기에서 다시 난개발의 유혹에 빠지면 도시 자체가 미성숙으로 갈 수도 있다. 박원순, 정몽준, 그리고 큰일을 하고 싶어 하는 정치인들은 홍파동의 홍난파 가옥에 잠시 서서, 성숙한 자본주의, 성숙한 도시, 이런 성숙 패러다임에 대해서 생각해 보시길 바란다. 시간이 지나면 작곡가 홍난파의 작은 2층집은 결국 눈앞의 아파트 단지들보다 훨씬 가치가 큰 문화재가 될 것이다. 우리는 성숙해가는 중이다.

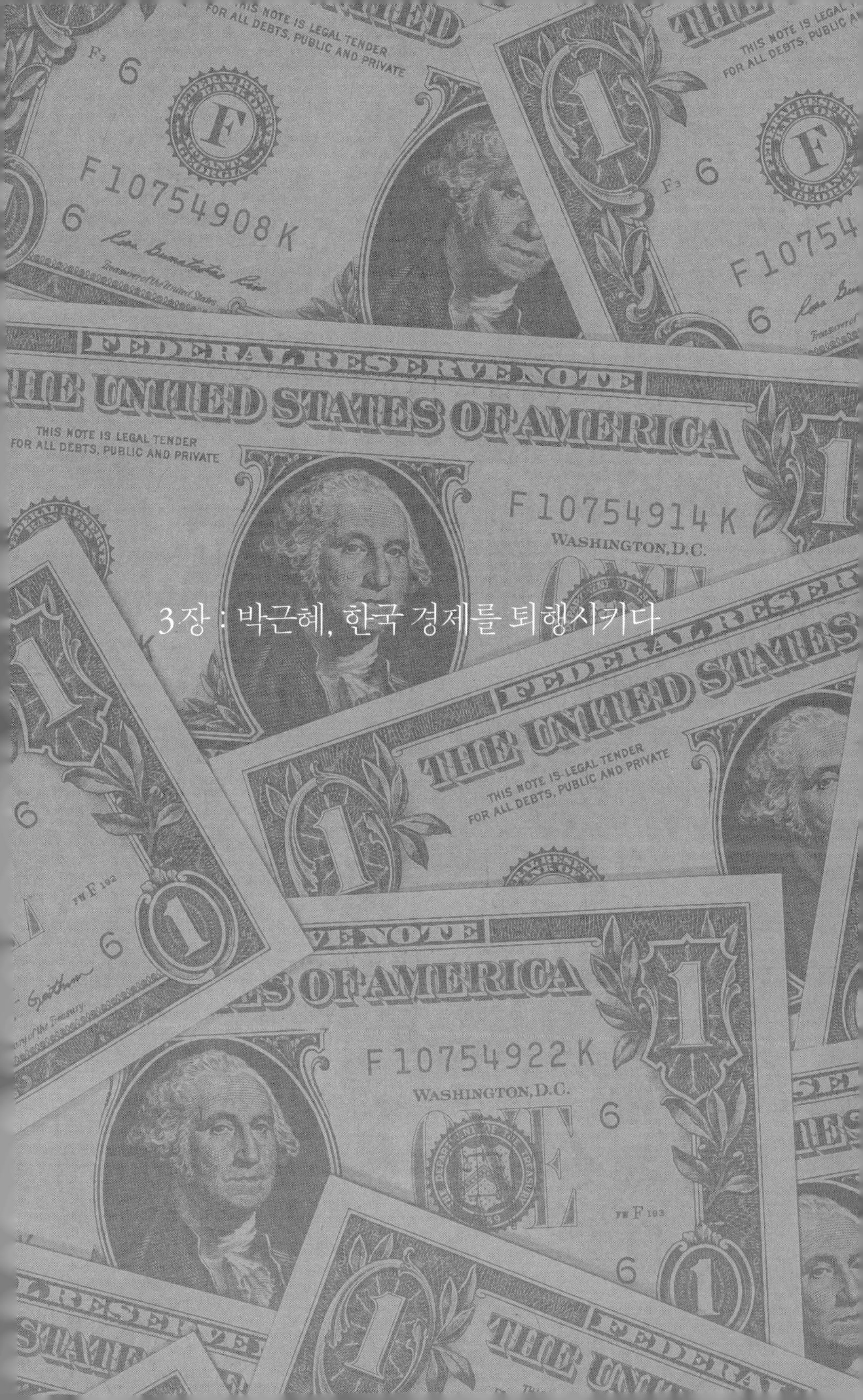

3장 : 박근혜, 한국 경제를 퇴행시키다

이 시궁창을 언제 벗어날 수 있을까?

프란치스코 교황 방문은 정말로 여러 가지를 생각하게 해 주었다. 정치든 종교든 지도자가 할 수 있는 위로라는 것이 어떤 것인지, 이렇게 깊게 느껴 본 것이 처음인 것 같다. 그는 상징을 사용하는 데 단호하였고, 의사를 표시하는 데 주저함이 없었다. 감동했다. 그가 던져 준 메시지 하나하나를 보면서 지도자가 이렇게 생각하는 게 가능한 것이었구나, 하면서 정말로 황홀했다. 그 꿈결 같던 며칠이 지나고 문득 세상을 돌아보니, 말 그대로 현실은 시궁창이다. 세월호 참상은 진상도 대책도 없이, 거대 야당까지 끊임없이 처박히게 되었다. 진짜 안쓰러워서 보기 어려울 지경이다. 하나못해 짐심 단식이라도 해야 하는 거 아닌가 하는 고민이 든다. 그런다고 해결이 되겠나. 우리의 삶이라는 게 왜 이렇게 무기력하고 집권자 앞에서 비루해지는 것인가!

한편으로는 의료 영리화 등 영리화로 상징되는 조치들이 숨 가쁘게 나오는 중이다. 또 한편으로는 산지 관광특구라는 개념을 중심으로 온갖 삽질 조치들이 하루가 멀다 하고 쏟아져 나온다. 여기에 이 두 가지를 합쳐서 산을 깎아서 병원을 만들겠다고 한다. 일찍이 슘페터가 '창조적 파괴'라는 표현을 쓴 이후 이렇게 파괴적으로 창조적인 발상이 있었나 싶을 정도이다. 여기에 더 나아가 빚내서 집 사고 재건축을 훨씬 더 용이하게 해 주는 또 다른 조치가 곧 발표됐다.

신자유주의와 토건을 동시에 하겠다는 발상, 보통 보수들의 경제는 그 중에 한 가지만 한다. 일본이 고이즈미 시절 우정국을 민영화할 때에는, 그때까지 일본 토건의 상징이었던 '일본의 곳간'이라는 대장성을 해체하는 일도 동시에 추진했다. 민영화와 토건을 동시에 하겠다는 것은 빈부 격차를 더욱 극대화하는 양극화 사회로의 이전도 압축적으로 하겠다는 발상이 아닌가 싶을 정도이다. 교황이 얘기했던 경제적 불평등, 딱 그 방향으로 지금 정부가 맹렬하게 달려가는 중이다. 그러지 말라고 했던 교황의 목소리만 잔상에 남을 뿐 현실은 시궁창, 가난한 사람들의 지옥으로 우리는 열심히 간다.

생태적으로 건전하고 경제적으로 따뜻한 그런 사회를 나는 꿈꾸었다. 그러나 지금 우리는 강이든 산이든 걸리기만 하면 그대로 파헤치던 그 시대로 가는 중이다. '없는 놈만 불쌍하지', 그렇게 부자들만을 위해서 정책이 가다듬어지는 사회로 가는 중이다. 한국에서 젊거나 가난한 사람들이 정책의 대상으로 주목받는 유일한 순간은 그들이 은행에서 빚내서 집을 사겠다고 하는 순간뿐이 아닌가? 빚 안 내겠다고 마음먹으면, 그때부터 이들이 정부에서 마구 쏟아 내고 있는 수많은 조치에서 조금이라도 수혜를 받을 수 있을 가능성은 아예 없다.

그렇지만 몇 년 지나면 오히려 지금이 더 나았다는 생각이 들 것 같은 불길한 생각이, 다시 한 번 억지로라도 교황 방한을 생각하며 웃어 보려고 했던 생각을 싹 사라지게 만든다. 선거하면 또 질 것 아니냐? 지금 야당 하는 걸로 봐서는 다음 총선도, 다음 대선도 별로 가망 없어 보인다. 그 뒤에는 시궁창에서 더 깊은 시궁창으로, 그리고 더욱더 깊은 시궁창으로 가는 길밖에 없지 않겠는가? 어떻게 시궁창에서 나올 것인가. 이제는 절박하게 그 고민을 시작해야 한다. 생태도 망하고 경제도 망하는 지금의 길, 이거 영 아니다.

경제 부처 개편, 70년대 닮아

'박근혜 정부'가 출범하면서 경제 부처 재편과 관련해 세 가지 점이 눈길을 끌었다. 경제 부총리 신설, 외교부 통상 기능 이전, 그리고 농업과 식품의 분리, 이 정도가 경제라는 시각에서 주목할 만한 일이다. 먼저 쉬운 것부터 얘기를 해 보자.

농정과 식품 정책의 분리, 이건 그 의도가 무엇인지, 그 목적이 무엇인지, 알려진 바가 너무 없어서 해석하기가 어렵다. 기본적으로는 농업정책과 식품 안전 정책을 결합시키면서, 농업의 공공성과 함께 유기 농업, 유기 축산 전환을 촉진하는 것이 선진국의 흐름이다. 칼로리 중심의 농업정책에서 식품 안전성을 대폭 강화하면서 통합 관리하는 추세로 볼 때, 박근혜 정부가 이 속에서 무엇을 의도했는지 파악하기가 어렵다. 어쨌든 작은 변화는 아니다. 농림부 입장으로 보면 방심하다가 크게 뒤통수를 맞은 거다.

두 번째, 외교부에서 통상 기능을 떼어 낸 것. 뒤통수로 치면 외교부야말로 세게 맞았다. 그야말로 전광석화와 같은 작전이었다. 그게 옳은 건지 아닌 건지, 하여간 작전 능력만큼은 인수위 팀을 인정하지 않을 수 없다. 김대중 전 대통령은 외교부를 대폭 강화시키면서 외교부에 통상 기능을 주었고, 통상교섭본부에 각별한 애정을 보인 것은 노무현 전 대통령도 마찬가지였다.

그러나 동시다발적 자유무역협정(FTA)을 비롯해서, 견제 받지 않은 외교 공무원들의 전횡이 15년간 이어졌다. 산업부가 통상을 맡는 것은 과거 상공부 시절부터의 전통이기도 하거니와, 일본 등 경제를 국정에서 중심으로 놓고 있는 나라들이 주로 쓰는 시스템이다. 희망적으로 속내를 해석한다면 '박근혜 경제팀'이 외교부의 전횡에 대한 문제의식 정도는 가지고 있다고 할 수 있다. 진보학자들 사이에서도 해석 방향이 좀 갈리는데, 나는 일단 찬성하는 쪽이다. 산업을 관장하는 부처가 통상 협상을 하면, 무조건 내주면서 체결 숫자만 높이는 황당했던 지금까지의 외교부 폭주는 견제할 수 있다.

세 번째, 경제 부총리 신설. 이건 또 무엇인가? 모피아 즉 경제 관료라는 시각으로만 본다면 1승 1패다. 금융위원회를 중심으로 한 모피아들은 위원회 조직을 금융부로 키우면서 과거의 재무부로 복귀하기를 원했다. 당시 박근혜 캠프 내에서 이 안을 상당히 논의한 걸로 알고 있는데, 결론적으로 금융부로 가는 방안은 기각되었다. 모피아 1패! 그러나 그 대신 경제 부총리를 신설하면서 기획재정부가 다른 부처들에 비해서 더 많은 권한과 총괄권을 가지게 되었다. 게다가 예산 업무까지 가진 공룡 부처라서 당선자 공약의 이행 방안을 기재부가 구상하게 되었다. 과거 청와대가 주로 행사하던 경제 운용 기조의 결정을 사실상 경제 부총리를 얼굴로 하는 기재부의 모피아들이 가지게 된 셈이다. 모피아 1승! 결론적으로 세종시로 내려간 고위급 경제 관료들은 요즘 표정 관리가 힘들어 보인다. 1승 1패지만, 원한다면 과거 경제기획원의 부활에 비교될 정도로 강력한 경제 관료 시스템이 등장할 수도 있다. 역사란 돌고 도는 것?

김대중 정부 시절 재경부를 '지속가능부'로 개편해서 경제와 생태를 통합적으로 관리하는 방안에 대해서 조심스럽게 논의한 적이 있었다. 격세지감이다. 어쨌든 박근혜 정부의 경제 부처 개편안은 시대정신과는 좀 무관하고, 자기들끼리의 영역 다툼과 힘 싸움에 더 가깝다. 다음 대선에는 아마 경제 부총리 폐지가 다시 대통령 공약으로 올라가지 않을까 싶다. 어쨌든 이번 개편으로 한국의 경제 부처는 70년대 모습에 더욱 가까워졌다.

돈치의 시대, 신(新)유전무죄

바야흐로 최경환의 시대가 본격적으로 열리려나 보다. 경제 부총리급으로 유명했던 사람으로 말하자면 남덕우를 빼놓을 수 없을 것이다. 지금의 대통령이 나온 학교 경제학과 교수 출신으로, 개발 시대의 한국 경제를 총괄했던 바로 그 서강학파의 수장이다. 유신 경제의 핵심 중 핵심이었고, 신군부가 집권했던 1980년에 결국 총리도 했다.

한때 이헌재와 같은 사람들이 부총리로서 이름을 날리기는 했는데, 남덕우처럼 총리를 지내지는 못했다. 이헌재 이후, 법학과 출신들이 한국 경제를 총지휘했다. 대통령의 두터운 신임으로 '이 · 반 브라더스'(이명박 · 강만수)라는 별칭으로 불리기도 했던 강만수도 아주 독특했던 사람이지만 역시 총리까지는 못 갔다. 그도 법학 전공이었다. 나중에 그가 산업은행 총재로 간 뒤에는 재경부보다 산업은행이 언론에 더 많이 언급될 정도였으니, 그도 실세 중 실세였다. 하지만 총리는 못했다.

최경환은 어쨌든 법학과 출신 전성시대를 뒤로하고, 다시 경제학과 출신으로 경제 부총리에 오른 사람이다. 그의 실력과 뒷배경은 여전히 잘 모르겠지만, 어쨌든 '초이노믹스'라는 이름으로, 대통령도 아닌 장관이 자신의 이름을 단 경제를 가지게 된 첫 번째 사람이 되었다. 이건 남덕우나 이헌재도 누려 보지 못한 영광이다. 이미 영광은 볼 만큼 본 사람인데, 이러다가 간만에 경제 부총리가 총리로 승급되는 모습마저도 보여 줄 것 같다.

이런 힘 좋은 경제 부총리가 '경제인 가석방'이라는 이름으로, 돈 좀 있고, 돈 잘 버는 사람들을 풀어 주자고 했다. 워낙 최경환의 시대니까, 결국은 풀려나기는 할 것 같다. 경제 부총리가 법무부에 이래라 저래라 하는 시대, 정말로 돈의 시대가 맞기는 맞는 것 같다. 관치, 금치, 법치, 별의별 단어를 다 들어보기는 했는데, 이 정도면 '돈치'라고 불러도 좋을 듯싶다. 슈퍼 갑의 횡포, 기업에 대한 특별처벌법인 '유병언법' 얘기가 아직 끝나지도 않았는데, 대충대충 풀어 줍시다? 이 정도면 '돈치' 맞다.

전두환 시절에 무전유죄, 유전무죄라는 말이 유행한 적이 있기는 한데, 경제 살리기 위해서는 경제인을 풀어 줘야 한다니, 신(新)유전무죄 시대가 오는 듯싶다. '떼법 반대', 법치주의 확립, 이런 얘기들이 정권 핵심부에서 나오던 것이 엊그제 같은데, 이런 걸 싹 무시하고, 난 그냥 사람들 돈이나 벌게 해 줄래요, 이렇게 최경환이 나오는 것을 보니, '경제의 신'을 보는 것 같다.

경제 운용은 모르겠지만 정치와 행정에서 최경환은 이미 '달인급' 능력을 보여 주었다. 정말, 능력자 맞다. 그렇기 때문에 시간이 좀 걸리기는 하겠지만, 결국 많은 경제인들이 풀려나기는 할 것이다. 그런다고 경제가 살아날지, 그건 잘 모르겠다. 그런데 잠시 눈을 돌려 생각해 보자. 법치주의 확립한다면서 파업이나 농성한 노동자들에게 엄청나게 손배소 걸고 가압류 걸었던 것과 '경제인 가석방' 사이의 형평성은? 해마다 손배소로 수십 명의 노동자들이 자살하는 이 판국에, 누구는 돈 잘 번다고 경제 부총리가 나서서 그냥 풀어 주면? 이건 최소한의 형평성도 안 지키는 것이다.

능력자 최경환에게 애걸한다. 그 힘으로 '돈치'하는 김에, 노동자들 손배소, 가압류랑 '퉁' 치면 어떻겠는가? 그래야 신유전무죄라는 말이 안 나온다. 돈 잘 버는 사람이나 가난한 노동자나, 이 김에 법치의 따뜻한 배려, 그거 같이 좀 받자. 기왕 '돈치' 시작한 것, 못사는 사람들도 좀 봐주며 하시면 어떻겠는가.

박근혜 정부, '세월호 아파트' 건설 중

경제가 발전하면 할수록 경제의 기초가 더 튼튼해지는 것은 당연하다는 게 일반적인 상식이다. 그러나 세월호 참사는 우리의 경우는 그렇지 않다는 것을 너무도 슬프게 보여 주었다. 도대체 OECD 국가에서 이런 일이 가능할까 싶지만, 대충대충 가릴 건 가리고 숨길 건 숨기면서 지내온 지난 시절의 우리 민낯이 드러나면서 당황하지 않을 수 없다.

이 와중에 '적폐'라는, 나로서도 정말 생소한 단어가 맨 앞으로 나왔다. 내가 과문해서인지 나도 이 단어를 실제로 본 것은 이번이 처음이다. 의미를 따지자면, 박 대통령 입장에서는 "이건 나 때문에 그런 게 아니야.", 이런 뜻 아닌가 싶다. 이미 내가 대통령이 되기 이전부터 누적되어 온, 그래서 켜켜이 쌓인 문제가 이번에 터진 것이므로, 나에게 그 책임을 묻는 것은 너무 가혹하지 않느냐, 그게 적폐라는 단어에 숨은 의미일 것이다.

그렇다면 그 문제가 언제부터인가? 올라가기 시작하면 건국 때까지 올라갈 수도 있고, 일제시대 혹은 조선 시대까지 올라갈 수도 있다. 그렇지만 현실적으로는, 새누리당이 집권을 시작한 MB정부 때부터인가, 아니면 그 이전의 민주당 집권기 즉 IMF사태 이후에 벌어진 것인가, 그게 중요할 것이다. 연안 여객에서 도대체 언제부터 이렇게 문제가 심각해진 것인가, 이건 앞으로도 오랫동안 이어질 논쟁이다.

이 문제를 공동주택 중 특수 형태, 즉 아파트로 가져와 보자. 한국의 아파트는 지금 안전한가? 물론 안전하지 않다. 내진 설계, 시공 재료, 설계 내구연한 등 복잡한 지표를 들이댈 수 있겠지만, 그 중에 가장 중요한, 그리고 공통적인 것만 생각해 보자.

일본에서 아파트에 가 본 적이 혹시 있으신 줄 모르겠지만, 지금 한국의 아파트와 결정적으로 다른 차이점이 한 가지 있다. 일본은 대부분의 경우 베란다 벽을 움직일 수 설계하고 시공한다. 화재 시 옆집을 통해서 대피하라는 것이다. 예기치 않은 화재 시 대피 공간을 확보하는 것은 설계 기준을 넘어 국제적인 상식에 해당하는 것이다. 우리나라 아파트는 이게 안 된다. 베란다 확장 공사 때문이다. 이건 참여정부 때 진행된 사안이다.

그리고 또 하나가 이제 막 시행령이 통과되어 현실이 된 수직 증축 리모델링이다. 15층 이하로는 2층, 15층 이상으로는 3층을 더 지을 수 있게 해 준 것이다. MB정부가 왜 이걸 허용하지 않았는지, 역사의 미스터리로 남을 것이다. 토건 정부, 아파트 정부, 그렇게 불릴 만한 정부였지만 마지막까지도 수직 증축은 허용하지 않았다. 시간이 더 길게 흘러, MB정부의 최대 업적을 거론할 때 바로 이 수직 증축 불허가 나올지도 모르겠다.

아파트 위에 다시 아파트를 짓는 이 기상천외한 방식, 전 세계 처음이다. 무엇보다도 리모델링 방식상 일반 분양받은 사람들이 증축된 위층을 배정받을 수밖에 없다. 위험한 게 뻔하고, 그 중에 더욱 위험할 게 뻔한 이 수직 증축된 아파트를 분양받을 부모가 있을까? 이 제도는 그야말로 부모들의 상식과 도덕성을 시험에 들게 하는 이상한 제도이다. 식구들 다 데리고, 돈도 낼 만큼 내고, 그러고도 위험한 건물에 갈 사람이 과연 있을까? 그야말로 시험에 들게 하지 마소서!

안전도 문제지만, 경제적으로도 현실성이 떨어지는 방안이다. 제발이지 부모의 마음으로 상황을 보는 시각을 가졌으면 한다. 1번 베란다 확장, 2번 수직 증축, 이 두 가지를 통해서 한국의 아파트는 결정적으로 안정성 결여의 건물이 된다. 두 개 다 결국 언젠가는 원상회복의 요구를 만나게 될 것이다.

규제 완화 앞세워 일자리 줄이는 대통령

박근혜 대통령이 17대 대통령 한나라당 경선에서 이명박 전 대통령과 맞붙었던 때의 대표적 구호는 '줄푸세'였다. 규제 완화가 대표적 경제 정책이었다. 대통령에 당선될 때에는 경제민주화였다. 박근혜 정부 2년차인 2014년 이후부터 박 대통령이 다시 17대 대선 후보 경선 시절로 돌아가 있다고 보아도 좋을 것 같다.

이 규제 완화라는 용어는 대표적 신자유주의 용어다. 영미권에서는 regulation이라는 단어를 정부가 무엇인가를 금지하는 것, 즉 규제라는 의미로 사용한다. 그렇지만 불어권에서 이 용어는 조절이라는 의미를 갖는다. 정부가 무엇인가를 금지한다는 것과 정부가 전체적으로 무엇인가를 조절한다는 것은 뉘앙스가 다르다. 유럽 중앙은행을 세우고 통합 화폐를 만들어 내는 데 중요한 이론을 제공한 미셀 아글리에타가 대표적인 조절학파다. 1980년대 이후 영국과 미국에서 규제라는 용어를 전면에 내세우면서 정부의 역할을 축소하는 일들을 열심히 했다.

후보 시절의 공약 기조와는 달리, 지금의 대통령은 냉전이 한창이던 1980년대 초반의 영국과 미국 느낌으로 경제를 운용하고 있다고 진단해도 좋을 것이다. 경제학에서 지금 대통령이 규제 혹은 규제 완화라고 부르는 그 일련의 현상을 전통적으로는 '제도'라고 부른다는 사실을 환기할 필요가 있다. 구제도학파에서 신제도학파에 이르기까지, 시장과 정부 그리고 개인들이 갖는 여러 가지 행위 패턴을 제도라는 이름으로 부른다.

규제 완화를 하면 일자리가 생겨날까? 구체적 분야에서 지금 한국 기업의 투자 위축에 대해 개별적으로 들여다보아야지, 이렇게 지나친 일반론으로 얘기할 것은 아니라고 본다. 그렇지만 한 가지는 확실하다. 규제 완화는 환경 혹은 생태 분야의 일자리를 줄인다. 미국 버락 오바마 대통령이 집권할 때 내세웠던 주요 공약 중 하나가 녹색 고용이라는 것이었다. 정부가 환경 기준을 정하면, 그 기준을 맞추기 위해 기술 투자 등 기업의 대응이 벌어지고 이 과정에서 신규 고용이 만들어진다는 게 그 기본 메커니즘이다. 기존에 있던 제도를 박근혜 정부처럼 죽어라고 없애는 게 경제 기조라면? 당연히 환경 투자는 할 필요가 없고, 그냥 하던 대로 하면 되니까, 연구·개발은 물론, 있던 고용도 줄어들게 된다. 제도가 만들어 낸 분야, 환경과 생태가 전형적인 제도 시장이다. 제도 없이는 투자도 없고, 고용도 없다.

대표적인 사례가 산업용 보일러 원료를 벙커C유나 중유에서 전기로 대체하는 것이다. 그냥 콘센트에 플러그만 꽂으면 되는 것을 누가 미쳤다고 복잡한 연료를 써가면서 대기오염도 줄이고 에너지 효율도 높이려는 노력을 하겠나? 정부에서 산업용 전기에 교차 보조를 하는데, 적극적으로 더 효율적이고 안전한 보일러를 개발하거나 운영하는 데 투자할 기업이 어디 있겠나? 한발 나아가 대기업에서도 결국에는 있던 에너지 팀도 없애거나 줄이게 된다. 그냥 전기 플러그 꽂으면 되는데, 왜 힘들게 그런 동력 전담 엔지니어들에게 월급을 주겠나?

생태 고용이라는 관점에서 보면, 지금 대통령이 하고 싶은 일은 단기적으로는 일자리를 없애고, 장기적으로는 환경 에너지 분야의 연구 생태계 등 기초마저 붕괴시키는 행위다. 경제 망치는 건 자기 마음이지만, 나중에 '공무원이나 기업이 시키는 대로 안 해 고용이 안 생긴 거다', 이렇게 말하지는 않았으면 좋겠다. 규제 완화는 생태 고용을 반드시 줄인다.

경복궁 옆 호텔 건축이 항암 투쟁이라고?

유네스코나 유넵(UNEP, UN Environment Programme)이나 같은 유엔 산하 기구이다. 유네스코를 모를 사람은 거의 없겠지만, 유넵은 좀 생소할 것이다. 유네스코나 유넵이나 전문가들이 선호하는 직장 중 하나이다. 연봉이 엄청나게 높은 곳은 아니지만 국제공무원이라는 신분과 함께 긍지를 가질 만한 일을 할 수 있다. 유네스코는 과학 · 문화 · 교육을 담당하는 기구이고, 유넵은 환경을 다루는 기구이다. 두 기관을 비교하는 게 적절한지는 잘 모르겠지만 어쨌든 최근 수년, 환경 보존에 관한 영향력은 유네스코가 절대적이다. '개발해야 잘 살지', 이런 주장을 하면서 생태적 보존에 대해서는 손사래를 치는 사람들도 유네스코 세계 문화유산 등재에는 기립 박수를 치는 형국이다.

남한산성이 유네스코 세계 문화유산에 등재된 것은 기쁜 일이다. 위례 신도시 개발한다고, 오세훈 전 서울시장 등 새누리당 쪽 사람들이 엄청 난리 치던 기억 같은 것은 잠시 잊고, 김문수 전 경기도지사의 환영 발표를 보면서 정말 만감이 교차했다. 생태를 얘기하는 사람들이 그렇게 오랫동안 목소리를 높였어도 못한 일을 유네스코가 한 방에 한 셈이다.

제주도가 유네스코에 등재된 이후, 케이블카 건설과 관련해 제주도가 마련한 토론회에 패널로 참가하면서 아주 난감했던 기억이 있다. 유네스코 등재에 관한 기쁨은 잠시, 그럴수록 더 많은 관광객을 받기 위해 케이블카가 필요하다는 얘기를 들으면서 유리창 너머만을 뚫어지게 바라보며 가진 막막한 느낌이 잊히지 않는다. 아니나 다를까, 당장 남한산성과 수원 화성을 잇는 문화 관광 벨트를 만들자는 발표가 이어졌다. 그야말로, 그래 이런 게 공무원이지!

내가 가 본 유네스코 문화유산 중에 가장 인상적인 것은 프랑스의 리옹이었다. 개발과 보존의 적절한 조화라는 면에서 가장 이상적이었다. 프랑스 공업과 금융의 축이었던 리옹이 파리에 밀려 몰락한 이후, 난개발로 향하기 딱 좋은 조건이었는데, 유네스코 문화유산이 되면서 '절제'의 미덕을 보여 준 도시로 기억에 남는다. 반면, 정말 이건 좀 아니라는 생각이 들었던 것은 호주 태즈메이니아 섬에 갔을 때였다. 사람들은 어떻게든 개발을 하고 싶은데, 유네스코 등재가 오히려 걸림돌이라고 불만들이 많았다. 결국 호주는 산림개발을 위해 여기를 유네스코 문화유산에서 좀 빼달라고 신청하는 지경이 되었다. 유네스코 문화유산 중 가장 가슴이 찡했던 것은, 역시 히로시마의 원폭 돔을 비롯한 피폭 흔적이었다. 여기를 공식적으로 방문한 최초의 한국인 고위직 인사가 반기문 유엔 사무총장이다.

생태와 문화는 점점 더 가까워지고 있다. 문화나 생태나, 지키고 보존해야 할 것들에 대한 고민이 같다 보니, 점점 더 미래 가치에 대해 생각하는 중이다. 지금 당장 개발하면 바로 이익이 날 것 같지만, 참고 보존하면 오히려 미래에 더 큰 가치가 되는 경우가 늘었다. 역사성과 희소성, 생태적 기능 같은 것들이 그렇다. 국민소득이 늘수록, 가난하던 시절에는 아무것도 아니라고 생각한 것들의 사회적 가치도 높아진다.

경복궁 옆에 호텔 짓는 것이 '암 덩어리'와 싸우는 것이라고 하신 분이 우리의 대통령이다. 규제 완화가 국가의 기본 방향이 된 시대, 우리는 문화와 생태의 결합에 대해 조금 더 생각을 해볼 필요가 있을 것 같다. 문화가 더 생태적 모습을 갖추고, 생태가 문화적 양상과 결합된 시대, 그게 우리의 미래가 아닐까 한다.

나를 크게 웃긴 최경환의 '거품 정책'

신임 경제 부총리인 최경환이 가처분소득을 증가시키겠다는 얘기를 해서, 일순 '깜놀', 정말 놀랐다. 도대체 지금 새누리당의 경제 기조에서 특별한 복지 정책이나 재정 정책 없이 할 수 있는 가처분소득 증가 조치가 뭐가 있을까, 생각하며 궁금하게 지켜보았다. 그런 게 있으면 전임자들이 벌써 했겠지, 그런 생각을 감추기가 어려웠다. 우리가 전혀 상상하지도 못한 그런 게 최경환 주머니에 들어 있을까?

결국 기업 유보금에 대한 몇 가지 조치들을 보면서 '푸하하', 세월호 참사 이후로 웃음을 잃고 지내던 내가 정말 크게 웃었다. 기업의 주식에 대한 배당금을 늘리도록 하고, 이게 가처분소득의 증가 조치라는 것은 최경환이 선사한 웃음의 하이라이트이다. 교과서적으로 말하면, 주식회사가 배당금을 높이는 경향을 '주주 자본주의의 폐해'라고 부른다.

기업이 자금을 조달하는 방식 중 가장 장기적이며 건전한 것이 주식 발행이다. 그런데 21세기 들어 주주들이 기업이 번 돈을 그냥 자신에게 주라, 이렇게 결정을 하면서 생겨난 문제점을 주주 자본주의의 폐해라고 부른다. 그걸 정부가 나서서 조장하면서 이게 가처분소득 증가 조치라고 갖다 붙이니 안 웃을 수가 없다. 우리나라가 다른 국가에 비해서 주주 배당금 비율이 적은 것을 일반적으로 해석하면, 아직까지는 오너가 있는 특수 구조이다 보니 주주 자본주의의 폐해가 덜 하다, 그렇게 보는 것 아닌가?

어쨌든 전체적인 기조와는 달리 소소한 내용들을 살펴보면 아주 깨알 같은 부자 감세, 서민 증세가 촘촘히 박혀 있다. 돈 많고 주식 많은 사람들에게는 배당금도 늘고 거기에 세제 혜택도 해 주는데다가, 분리과세까지 해 주겠다는 것 아니냐? 종합소득세에서 집 많은 사람은 빼 주고, 주식 많은 사람도 빼 주고, 모두가 다 내는 지방세는 올리고. 게다가 노동자들의 장기 저축에 대한 세제 혜택은 없앤단다. 도대체 가처분소득은 어디서 높여 주겠다는 건지 모르겠다. 장식품으로 끼워 넣은 몇 가지 세제 혜택을 빼면 최경환 경제정책의 핵심 중의 핵심인 거품 정책이 남는다. 갖은 구실을 대서라도 집 살 때 더 많은 대출을 해 주겠다는 거니, MB도 하지 않은 가장 강도 높은 거품 정책을 쓰겠다는 거다. 의도와 의중은 알겠다. 그러나 이게 그의 생각대로 성공할까, 의구심이 든다. 기본적인 것은 DTI(총부채

상환 비율), LTV(주택 담보 인정 비율)를 대거 풀어 주고 저축은행 등 비은행권에서 생긴 대출을 은행권 대출로 '갈아타기' 하면 세금 부담이 좀 줄어들 것이라는 게 경제 부총리의 계획인 것 같다.

일단 주택 대출 제한을 풀어 주는 것에 대해서 생각해 보자. 작년 이후로 은행 등 금융권이 어렵고, 구조 조정으로 직원들을 내보내는 중이다. 예전에는 은행에서도 실적, 즉 대출 총액 위주로 인사관리를 했는데 요즘은 부실채권까지 성과 관리에 반영하는 흐름이 생겼다. 괜히 대출 잘못해 줬다가는 대출계 직원들의 자리가 위험해진다. 지금도 DTI, LTV 한도까지 대출하는 경우는 별로 없다.

직장과 연봉뿐만 아니라 개인적 신용도, 공시지가, 게다가 방의 개수와 집의 구조 등 진짜 다양한 요소를 고려해서 주택 대출이 나간다. 지금의 상한선에서도 그만큼 대출해 주는 경우는 거의 없다. 이걸 높인다고 해서 추가 대출이 있을까? 은행에서 안 해 준다. 그렇다면 갈아타기는? 저축은행이나 캐피탈, 혹은 보험사에 대출이 많은 사람들, 당연히 은행권 신용 등급에서 마이너스 요소이다. 은행이 공격 경영을 할 때에는 그런 것들도 신경 안 쓰고 턱턱 돈을 빌려줬겠지만, 지금은 다르다. 정말 강남의 안전한 집 일부에만 해당하는 일이지, 개인 신용도 문제로 갈아타기 할 수 있는 사람이 얼마나 있을지 모르겠다. 현장에서 보시라. 은행권, 특히 대출계에서 불만이 많다. 그리하여 경제 부총리가 원하는 수준으로 부동산 거품이 부풀어 오르지는 않을 것으로 예상된다.

케이블카와 '올드'한 박근혜

반대 운동, 나는 바로 그 손가락질 받는 반대 운동을 많이 한 사람이다. 가슴에 손을 얹고 생각해 보면, 뭘 하자는 것보다 하지 말자는 얘기를 훨씬 많이 했다. 그게 싫어서 내 궁극의 직업으로, 그리고 내 마지막 직책으로 영화 기획자를 선택했다. 이런 영화 만들어 봅시다, 그렇게 했던 얘기들이 실제로 제작 과정에 들어가 촬영되고 있는 걸 보면, 얼마나 기쁘겠나. 그런 재미로 영화 기획을 시작했고, 몇 년 해 보니까 실제로 행복하다. 상상이 현실이 되는 것, 그걸 감각적으로 가장 먼저 확인할 수 있는 장르 중의 하나가 영화이다.

그렇지만 충무로에 영화 기획자가 그렇게 많지는 않다. 감독이 되기 위해 죽어라고 현실을 버티는 스태프들은 많지만, 어떤 걸 영화로 할까, 그런 걸 고민하는 기획자들은 정말로 적다. 그 기획자 중에 나도 이름을 올리게 되어, 그저 감사할 따름이다.

영화 판 동료들끼리 늘 쓰는 아주 고약한 표현이 하나 있다. 물론 욕이다. 시나리오나 기획이 나쁘다는 얘기를 할 때, "그것은 올드하다."라고 표현한다. 우리끼리는, 꽤 심한 욕이다. 멱살 잡힐 각오를 하면서 꺼내는 표현이다. 이미 어디선가 한 것, 써먹은 것, 감성적으로도 구시대에 속하는 것, 그런 것을 '올드하다'고 말한다. 그 얘기를 하고 나면, 상대방과 새벽이 올 때까지, 나의 얘기는 '올드'하지 않다, 아니 너의 얘기는 '올드'해, 그러면서 밤새 싸울 것을 각오해야 한다. 영화 기획자들은 자신의 기획이 '올드'하지 않다는 것을 보이기 위해 목숨을 건다. 그리고 동트는 새벽녘에 확인한다. 아, 우리는 아직 모두 '올드'하다, 요딴 걸 가지고 싸우는 걸 보니…… 그게 영화 기획이다. 우리는 절대로 '올드'하고 싶어 하지 않았다. 세상에 한 번도 없던 영화, 지금도 그런 걸 만들려고 밤을 지새운다.

박근혜 정부가 세월호 이후 이것저것 막 들이대더니, 결국은 올드 중의 올드, 케이블카까지 들이댔다. 전경련에서 이런 걸 하라고 '커닝 페이퍼'를 보여 줬는데, 그걸 그냥 청와대가 베꼈다. 10년 넘은 케이블카 논쟁, 이 올드한 논쟁이 다시 시작된다.

원래의 논쟁은, 케이블카를 설치하면 산을 이곳저곳 깎아서 정류소를 만들어야 하고, 또한 '재수 없게' 보호종이 그곳이 있으면 생태계를 파괴한다는 것이다. 찬성론자들은, 등산을 하면서 산을 망지느니, 차라리 입산 금지를 시키고 케이블카로 오르게 하면 생태 보호가 된다고 한다. 이것은 10년 전의 '올드'한 논쟁이다.

실제 몇 년 지나서 보니까, 두 가지 부작용이 생겨났다. 우선은, 케이블카가 생기면 도토리묵이나 파전 등 산 밑에서 이것저것 팔던 가게들이 다 망하게 된다. 자가용으로 케이블카 주차장까지 바로 가니까 그 밑에서 뭘 사먹을 이유가 없어졌다. 케이블카 건설 등으로 건설사는 잠시 경기가 있지만, 정작 지역 경제는 어려워진다. 또 다른 하나는, 진짜 등산객 숫자의 격감이다. 케이블카 지나가는 모습을 보고 싶어 하는 등산객은 없다. 정말로 산을 좋아하는 사람은 케이블카 코스로는 가지 않게 된다. 그러면 누가 돈을 버느냐? 케이블카 정류장의 구내 매장 딱 한 군데에서 약간 매출이 오른다. 그리고 나머지는 다 망한다. 이미 본 사례이다.

케이블카를 놓으면, 건설사가 돈 벌고, 주유소가 돈 벌고, 고속도로가 돈 번다. 반면, 동네 가게가 망하고, 지역 주민이 망하고, 생태계가 망한다. 이 올드한 케이블카 논쟁, 그만하자. 생태, 환경, 다 떠나서 산 밑에서 감자전 부치고 빈대떡 부치고, 막걸리 팔던 주민들은 바로 망한다. 경제적으로 지역 경제에는 역효과라는 증명, 이미 끝났다. 이 올드한 논쟁, 이제 그만하자. 케이블카는 지역 주민의 적이다. 왜 이걸 굳이 하려 하느냐? 청와대, 그들은 올드하다.

세월호가 고마운 사람들

정부의 기습적인 쌀 관세화 선언을 보면서, 가슴 아픈 단어 '재난 자본주의'라는 단어를 떠올리지 않을 수 없었다. 나오미 클라인의 『쇼크 독트린』이라는 책을 통해 세계적으로 유행하게 된 단어이다. 재난이 생기면 그걸 극복하는 과정에서 뭔가 나아질 것 같지만 현실은 그렇지 않았다는 얘기이다. 거대한 재난으로 사람들이 패닉 상태에 빠지고 정신없는 틈을 타서, 지배자들이 자신들이 원래 하고 싶었던 일을 그 기회에 전격적으로 추진한다는 말이다. 중남미의 쿠데타 등으로 정치적 격동이 생겨날 때, 전격적으로 미국식 신자유주의가 그곳을 뒤덮어서 오히려 더 어렵게 됐다.

세월호 정국에서 정부가 취하고 있는 여러 가지 조치는 전형적인 재난 자본주의 구조를 가지고 있었다. 박근혜 정부는 경제민주화 대신 과거의 토건 패러다임으로 전격 복귀하면서 MB 정부 때도 풀지 않았던 주택 대출의 안전판을 풀려고 한다. 재난 자본주의다. 그리고 좀 더 복잡한 밀고 당기기의 협상이 있을 수도 있는 쌀 시장 개방 문제를 전격적인 정부의 선언 형식으로 일방적으로 끌고 간다. 이것도 일종의 재난 자본주의이다.

설령, 정부가 생각하는 2015년 1월 1일부터 관세화를 시행한다고 해도, 그때 공표를 하면서 다른 나라의 관세율 검증을 기다리면 된다. 그걸 억지로 규정에도 없는 역산을 해서 그 전해인 2004년 9월에 발표하겠다는 건, 전형적인 국회 무시, 국민 무시, 그런 행태이다. 일본과 비교하면 결정적 차이점이 있다. 일본은 농민들도 참여하는 협의 기구를 구성해 그 합의하에 개방을 했다. 우리 정부는 국회와 논의도 없었을 뿐더러, 개방 후에 충격을 최소화하고 농업을 활성화하기 위한 어떤 논의도 없다. 그 결과 일본은 청년들이 농업에 참여하는 것을 독려하기 위한 청년 농업 직불금 등 고개가 끄덕여지는 각종 후속 조치들을 정책화했다. 고령화되는 농업의 미래, 한국이나 일본이나 똑같이 당면한 문제인데, 쌀 시장 개방 후 국내 정책의 변화에 대해 우리 정부는 어느 것도 제시하지 않았으며, 아무것도 고민하지 않았다. 세월호 참사 때문에 사람들이 가슴 아파하는 동안, 이런 중대한 정책을 전격적으로 밀어붙이는 것, 이게 재난 자본주의가 아니라고 할 수 있는가?

다양한 종류의 시민사회가 다양한 가치를 지향하고 있는데, 그 가운데 농업에 가장 적극적으로 관심을 표명하고 있는 곳은 생태 부문의 시민 단체이다. 논이나 밭처럼 농사를 짓는 땅은 그 자체로 생태적 기능을 가지고 있다. 지금보다 기계농을 조금씩 줄이고, 화학비료와 살충제를 적게 사용하면서 친환경 농업을 늘려 나가자, 이런 형태의 농업을 하자는 게 생태주의자들의 오래된 꿈이다. 유전자 조작 식품에 대한 싸움도 주로 생태주의자들이 이끌었다. 일본은 현재 미국과 태평양 자유무역협정의 일종인 환태평양 경제동반자협정(TPP)을 진행하고 있다. 협상 자리에서 미국이 일본에 요구하는 내용은 충격적이다. 쌀을 수입할 때 일본 정부가 하는 유전자조작 검사를 없애 달라는 것이다. 쌀 시장을 전면 개방하는 조치를 하면서 우리 정부는 유전자가 조작된 쌀에 대해 어떻게 하겠다, 일언반구도 없다. 길게 보면 농업을 지키는 것이 한반도 생태계의 위태한 균형을 지키는 것과 같기도 하다.

정부는 세월호 사고를 계기로 재난 자본주의를 강화하고 있고, 농민은 고립되어 있다. 친환경을 지향하는 많은 소비자협동조합을 비롯한 한국의 생태적 흐름이 농민들에게 연대의 손길을 내밀어야 할 때이다. 대규모 농지에서 농약으로 재배한 쌀, 유전자가 조작된 쌀, 그것이 한국 농업의 미래가 되어서는 안 된다. 정부의 일방적인 쌀 관세율 발표, 이것만은 막아야 하고, 시급히 사회적 논의 테이블이 열려야 한다. 이걸 위해, 우리는 가만히 있으면 안 된다.(정부는 2014년 9월 쌀 관세율 513%를 정해 발표했다. – 편집자)

금융 민주화와 외환은행 사태

지난 대선에 우리는 많은 것을 내걸었다. 그 중 하나가 금융 민주화였고, 그 핵심은 외환은행 사태 해결이라고 이해하고 있었다. 공식적으로 발표한 것은 아니지만, 안철수 진영과 문재인 진영 모두 외환은행에 대한 적절한 해법을 모색하고 있던 것으로 알고 있다. 만시지탄이다. 뭐, 대선 결과와 함께 해법이 모호해진 것이 어찌 외환은행뿐이랴!

하여간 독자들을 위해서 간단하게 사건을 정리하면, 론스타가 외환은행을 하나금융지주회사에게 매각하면서 길고긴 사태가 일단락되는 듯해 보였다. 그리고 노사정 합의를 통해서 하나금융지주는 향후 5년간 외환은행의 독립 경영을 보장한다는 약속을 했다. 그리고 한·미 FTA 협상을 통해서 유명해진 ISD라는 이름의 투자자-국가

소송이 론스타 쪽의 소송 제기에 따라 벨기에 법인을 통하여 진행되는 중이다. 여기까지가 대선 전 상황이었다.

이 상황에서 하나금융지주가 갑자기 외환은행의 나머지 주식에 대해서 공개 매수 대신 '주식 교환 승인'이라는 결정을 내리기로 하면서 일이 급해지기 시작했다. 그들이 최종적으로 노리는 것은 외환은행의 주식 상장 폐지로 보인다. 5년간 독립 경영 보장이라는 노사정 3자 사이에 합의된 약속을 대선이 끝나자마자 뒤집어 버린 것이다.

여기에 몇 가지 쟁점이 생겼다. 아직 론스타가 금융자본인가, 산업자본인가, 해묵은 논쟁에서 외환은행 주주들이 갖는 법적 권리가 한 가지 쟁점이다. 여기에 전성인 교수가 새롭게 제기한 문제, 그게 바로 하나고등학교 문제이다. 하나금융지주의 자회사인 하나은행이 대주주 특수 관계인 하나고등학교에 거액의 은행 자산을 무상 양도해 은행법을 위반했다는 것이다(제35조의 28항). 쉽게 말하면, 뒤로 돈을 몰래 빼돌리는 불법을 한 하나지주는 현행법상 건전성을 위반했으니 외환은행을 보유할 자격이 안 된다는 것이다. 말은 되는데, 언제 우리나라의 금융위원회나 금융감독원이 법에 따라 제대로 결정을 내린 적이 있나 생각해 보면, 그냥 답답할 뿐이다.

여기에 또 하나 쟁점이 생긴 것이 바로 한국은행과 국민연금 등 소위 공적 자금의 주식 보유권에 대한 사회적 역할이다. 외환은행이 이런 황당한 꼴을 겪고 있을 때, 한국은행과 국민연금이 과연 사회적 목소리를 내는 게 맞느냐, 아니면 기계적으로 투자 수익률만을 계산하는 게 맞느냐, 이런 문제에 봉착했다. 국민연금도 하나금융지주에서는 소액 주주의 역할을 하고 있는데, 아무 소리도 없는 침묵, 이건 박근혜 정부가 내건 정책 방향과는 다르다. 한국에서 금융 민주화란 과연 무엇인가? 이 질문의 거의 모든 것이 외환은행 사태에 걸려 있다. 여기에 김승유라는 독특한 인물과 하나고라는 교육 기관까지 연계되면, 도대체 이게 국민소득 2만 달러가 넘었다는 한국에서 벌어질 수 있는 일인가, 아연실색하게 된다. 금융의 공공성을 고민하는 시민사회에게 외환은행 문제를 어떻게 볼 것인가, 이 질문이 하나 던져진 것이고, 동시에 박근혜 정부도 금융 민주화란 무엇인가, 역시 곤란한 질문 하나를 받아들게 되었다.

좋은 점은 박근혜 정부도 국민연금 등 공적 자금의 주주로서 사회적 역할을 강화하겠다고 생각한다는 점이다. 나쁜 점은 론스타 매각 당시 청와대 행정관이 바로 박근혜 정부의 경제금융 비서관이 되었다는 사실이다. 외환은행 사태, 박근혜 정부의 금융정책이 맞게 된 첫 번째 대형 사건이 되어버렸다.

2부 : 지역 경제, 돈보다 민주주의

현재로서는 영남이든 호남이든, 여당이나 야당이라는 자기 나름의 경제적 특성보다는 '1당 지역'에서 견제 없는 질주의 모습을 더 많이 보여 준다. 야당 없는 여당의 세계에서 어떤 일들이 벌어질까? 이건 영남과 호남에 가면 바로 볼 수 있다.

우리가 성숙 자본주의로 간다는 것은, 서울만 성숙하면 되는 것이 아니다. 그것은 우리가 '지방'이라고 부르기를 주저하지 않는 그 지역의 요소 하나하나가 균형을 잡고, 정상적으로 움직인다는 것을 의미한다. 중앙에서 돈을 내리면, 일부 지역 엘리트들이 그걸로 먹고살고, 대부분의 해당 지역 주민들과는 아무런 상관없는 변화가 오는 것, 그런 흐름에서 이제는 우리가 좀 벗어나야 한다.

1장 : 공간 문제와 경제

경제학의 한 분과로 '공간 경제학'이라는 게 있다. 80년대 초반, 당시에 세계적으로 젊은 천재들이라는 평가를 받고 있던 경제학자들이 이 분야로 달려갔다. 나중에 노벨 경제학상을 탄 미국의 폴 크루그먼 그리고 프랑스 녹색당 대표가 된 알랭 리피에츠 같은 사람들이 그랬다. 나도 당연히 이 사람들의 영향을 많이 받아서, 공간으로서의 지역 문제에 대해서 연구해야 한다는 생각을 가지고 있었다. 내가 박사 학위를 받고 초기에 관심을 가졌던 것은 도시문제라고 불리는, urbanism 분야였다. 도시가 형성되면서 생겨나는 여러 가지 문제들, 특히 부정적 문제에 관심이 많았었는데, 취직해서 먹고살다 보니 이쪽에 더 많은 관심을 갖기가 어려웠다.

아마 내 전공이 생태 경제학이 아니었다면 나도 좀 더 책상에서 자료들을 가지고 할 수 있는 연구들을 했겠지만, 새만금이나 부안 혹은 제주도의 골프장 문제 같은 것들은 그렇게 책상 위의 자료들만으로 살펴보기에는 훨씬 더 지역적인 문제였다. 좋든 싫든, 어쨌든 문제를 풀기 위해서는 더 많이 현장에 가고, 더 많은 사람들을 만나 볼 수밖에 없었다. 실제로 그렇게 했다. 초록정치연대 정책실장이라는, 과거에 내가 했던 일은 좋으나 싫으나, 이렇게 현장을 돌아다닐 수밖에 없던 일이었다. 그렇게 시작한 게, 지금까지 계속해서 이어져 아직도 전국을 돌아다니면서 구체적인 모습을 보는 연구를 하게 됐다.

물론 그렇다고 해서 내가 이 분야에서 엄청나게 성과를 낸 것은 아직 아니다. 몇 년 전부터, 일본의 히로시마와 후쿠오카 같은, 동경과는 좀 다른 특색을 가진 도시들이 연구 리스트에 올라왔다. 스위스의 취리히도 중요한 도시로 다루기는 했었는데, 연구비가 너무 많이 들어서 이제는 포기했다. 비슷한 시각으로 '아프리카 경제학'이라는 거대한 연구 틀을 구상한 적도 있었다. 한 명의 경제학자로서, 평생을 걸친 연구로 해 보기에는 딱 좋았다. 그렇지만 돈이 너무 많이 들었고, 그 많은 돈을 투자받거나 움직일 만한 수완이 나에게는 없었다. 대학원 시절 지도 교수가 아프리카에 관한 연구로 인정받는 저명한 사람이었다. 그리고 마침 그 시절, 아프리카를 연구 주제로 선택한 사람들의 수업을 듣거나 조언을 들을 만한 기회가 많이 있었다. 나도 아시아인으로서 그리고 한국인으로서, 현대 아프리카의 문제에 대해서 경제적으로 어떻게 접근해야 할지, 그런 종합적인 시각을 가지고 싶었다. 세계은행이나 UNCTAD(국제연합 무역개발 회의) 같은 국제기구의 시각을 뛰어넘을 만한 그런 연구를 해 보고 싶다는 생각이 왜 나라고 없겠나. 그러나 그 연구비를 마련할 현실적 대안은 도저히 없었다. 저자로 데뷔한 후, 약간 시간이 지나서 나는 연구 리스트에서 아프리카 경제학을 빼는 대신에, 우리나라의 도시 연구를 그 자리에 새로 올렸다.

시간이 지나면서 내게도 조금씩 자료가 모아지기 시작했고, 무엇보다도 지역에서 벌어지는 특이한 현상에 대한 이해가 조금씩 늘어갔다. 외국에서도 지역감정이라는 것이 존재하기는 한다. 무사의 도시라고 하는 동경과 상인의 도시라고 하는 오사카 사이의 갈등은 잘 알려진 일이다. 프랑스에서도 정치 도시인 파리와 산업화 도시인 리옹 사이에 묘한 알력이 존재한다. 스위스는 더 하다. 독일어권을 이끌어 나가는 취리히나 베른 그리고 불어권을 이끌어 나가는 로잔이나 제네바 사이에는 단순한 언어 차이를 뛰어넘는 갈등 관계가 존재한다. 스위스는 인구수는 적더라도 연방제를 운영하기 때문에 언어권의 차이는 우리의 지역 문제보다 더 근본적인 위험 요소를 가지고 있다. 각 주정부가 연방제에 참여할 필요가 없다고 판단하고 결정하면 언제든지 연방에서 탈퇴하고 독립할 수도 있다. 그렇지만 우리나라에서 보이는 것과 같은 수도권 집중 그리고 극한으로 치닫고 있는 영호남 갈등 정도의 양상을 보이는 곳은 본 적이 없다. 우리의 경우 해도 해도 너무 해서, '내부 식민지'라는 개념을 사용해 현실을 설명해도 이상하지 않을 정도로 심각하다. 진짜, 두 말하면 잔소리일 정도이다. 영남은 박근혜의 땅, 호남은 야당의 땅, 이 상태가 고착되어, 이제는 사회과학에서는 고정 상수로 처리해도 될 정도이다.

그런데 이상한 것은, 여당 우세 지역이든 야당 우세 지역이든, 경제적으로 괜찮다고 하는 데가 거의 없다는 것이다. 2012년 대선이 끝나고 새로운 대통령이 취임한 봄, 포항을 시작으로 매주 한 군데씩 방문을 하면서 전국을 돌아보았다. 여당 집권 지역이면, 어쨌든 돈을 내려보내 주든가 아니면 뭐라도 일을 벌여서 조금 더 낫게 해주지 않겠는가? 그래도 힘들다고 하는 건 마찬가지이다. 오히려 상대적 박탈감에 대해서 호소하는 사람들이 더 많았다. 남들은 뭔가 도움을 받은 것처럼 이해하지만, 실제로는 그런 게 전혀 없어서 더 억울하다는 것이다. 그게 엄살인지 아닌지는 잘 모르겠다. 서울에 있는 많은 회사들 특히 정부와 가까운 곳일수록 영남 출신 50대 남성들은 그렇지 않은 사람들에 비해서 분명히 약간의 혜택을 보고 있는 것 같았다. 그렇지만 어쨌든 현장에서는 별 거 없다. 그런 목 메인 소리들이 터져 나오고 있었다. 실제 지표로 보아도 그렇다.

그렇다면 야당 우세 지역들은 좀 어떨까? 대통령과는 전혀 다른 경제를 추진할 것 같은 야당 우세 지역도 경제적 형편은 별반 달라 보이지 않았다. 그런 얘기들을 호남의 고위직 관료들에게도 하고, 서울에 와 있는 호남 출신 국회의원들에게도 했고, 야당의 높은 위치에 있는 사람들에게도 했다. 그들이 이구동성으로 하는 얘기는, 서울과 호남은 다르다는 것이다. 각각 표현이 복잡하거나 좀 더 단순하거나 차이가 있지만, 기본적으로는 서울은 돈이 많아서 이것저

것 뭔가 해 볼 여지가 있지만, 광주든 전남이든, 가난한 곳이라서 지방자치 차원에서 뭔가 할 수 있는 게 거의 없다는 것이다. 한 마디로 돈이 없어서, 특별히 뭔가 해 볼 수가 없다는 것이다. 물론 그 사람들도 선거에 임박해서는 이것저것 지역을 잘 살게 해 주겠다며 각종 공약을 건다. 공약만 놓고 보면, 그 내용의 참신함이나 실현 가능성과는 별도로, 우리나라에서 못 살만한 지역은 없을 것 같다. 그러나 여전히 한국의 지방은 배가 고프고, 젊은 사람들이 계속 빠져나간다는 호소를 하고 있다.

여당이든 야당이든, 자신의 고향에서 그곳을 먼저 잘 살게 하고, 그리고 중앙 정치와 국민경제를 운용하는 것이 맞는 것이라고 생각한다. 그렇지만 많은 경우 현실은, 서울에서 힘을 쓰고, 성공할 만큼 성공하고, 그 후에 금의환향하는 것이 일종의 공식처럼 되어버렸다. 지역에서 자신의 고향을 편하게 만들고, 그리고 전국적 정치인이 되는 것, 이건 한국에서 일종의 사치처럼 느껴질 정도이다. 이건 어쩌면, 군사작전으로 단번에 전국적 권력을 잡은 영남 출신 군인들의 시대에 생겨난 현실 효과 때문일지도 모른다. 그나마 이제는 쿠데타 대신 선거로 대통령을 결정할 수 있다는 것 정도가 위안일까?

현재로서는 영남이든 호남이든, 여당이나 야당이라는 자기 나름의 경제적 특성보다는 '1당 지역'에서 견제 없는 질주의 모습을 더 많이 보여 준다. 야당 없는 여당의 세계에서 어떤 일들이 벌어질까? 이건 영남과 호남에 가면 바로 볼 수 있다. 다른 정당의 견제라는 것은 애시당초 무의미한 곳이기 때문에, 그 지역의 공천권을 둘러싼 자기 세력 내부 암투만이 존재하는, 그야말로 1당 체제의 모습을 전형적으로 보여 주는 곳들이다.

성숙한 지역 경제, 이것은 어떤 모습일까? 아직 우리가 가 본 적이 없는 길이라서, 이 질문에 대한 답변은 모호할 수밖에 없다. 그렇지만 한 가지는 확실하다. 광주나 전남 혹은 전주와 같은 곳에서 엄청난 일이 벌어지고, 대구나 부산 심지어는 의성이나 안동 같은 곳에서, "우리도 저렇게 좀 하자."는 얘기가 자발적으로 터져 나올 때, 그때야말로 우리가 믿을 수 있는 모델 한 가지가 생겨난 것이라고 할 수 있다. 그 역의 경우는 성립하지 않는다. 성숙한 지역 경제는 이런 것이다, 라면서 그 내용을 서울에서 내려 보내는 것이 아니며, 그것은 사실상 불가능하다는 말이다. 그 '역'이란 것은, 집권 세력이 자기 고향에 죽어라고 중앙의 돈을 갖다 주는 것인데, 그렇게 해서 실제 뭐가 잘 돌아가지도 않는다. 설령 돌아간다고 하더라도 그건 일단 고향의 표를 몰아주고 일단 정권부터 잡자는, 중앙 정치의 이해를 앞세운 단기적 중앙형 모델이기 때문에 지역 경제의 장기적, 안정적 발전과는 거리가 멀다. 실제 현실로 돌아보면 분명하게 드러난다. TK 세력의 핵심 권력 장악에 대한 비판이 많이 나오고 있지만, 대구는 벌써 몇 년째 부동의 지역 소득 최하위 지역이다.

아직 우리는 지방 경제에 대한 여러 가지 대안을 모색하고 있는 중이다. 확실한 것은, 대구 모델이라는 것은 애당초 존재한 적이 없었고, 광주 모델이라는 것도 얘기된 적이 없다는 것이다. 오히려 소규모로 서울의 성북구 같은 곳에서 추진하는 친환경 급식의 확대 혹은 문화와 지역 경제의 접목 같은 것들이 현실적으로는 더 성공 모델에 가깝다. 이런 것들을 광주나 전주 같은 곳에서 특별히 더 적극적으로 하지 못할 이유가 별로 없어 보이지만, 아직은 그런 건 어렵다고만 하고 있다.

“이게 맞다, 이렇게 가자.” 서울에 있는 관리들은 뭔가 하나가 나오면, 이런 식으로 이야기하면서 그냥 그렇게 달려가는 것에 익숙해져 있다. 사실 지난 10년 동안, 강남에서 뭔가 했다고 하면 이걸 서울 전역 그리고 전국으로 확산시키는 것이 우리가 뭔가 새로운 것을 도입하는 대표적인 메커니즘이었다. 행정도 그와 크게 다르지 않았다. 강남구나 서울시에서 뭔가 하면, 다른 지역에서는 “우리도 합시다.”라고 말하면서 그것들을 퍼 나르기에 바빴다. 그런 게 잘 될 리가 없지 않은가.

우리가 성숙 자본주의로 간다는 것은, 서울만 성숙하면 되는 것이 아니다. 그것은 우리가 ‘지방’이라고 부르기를 주저하지 않는 그 지역의 요소 하나하나가 균형을 잡고, 정상적으로 움직인다는 것을 의미한다. 물론 그게 뭔지, 아직은 불투명하다. 그렇지만 이것 하나만큼은 분명하다. 몇 사람이 밀실에서 간단하게 정책을 결정하고, 이미 경도될 대로 경도된 지역의 지배 구조를 동원해서 대다수의 사람을 끌고 가는 것, 이런 것은 결코 아니라는 점이다. 지난 10년간, 우리의 지방 개혁 역시 그런 식이었다. 중앙에서 돈을 내리면, 일부 지역 엘리트들이 그걸로 먹고살고, 대부분의 해당 지역 주민들과는 아무런 상관없는 변화가 오는 것, 그런 흐름에서 이제는 우리가 좀 벗어나야 한다.

자기 지역이 잘 살게 된다는 것, 그것이 의미하는 바는 무엇일까? 살고 싶은 동네가 된다는 것은 무엇을 뜻하는 걸까? 자기 자식이 공부든 일자리든 혹은 그 무엇을 위해서라도 떠나고 싶지 않은 마을을 만든다는 것은 부모에게 어떤 의미일까? 새만금, 부안, 경주 방폐장, 4대강, 뉴타운, 우리는 지난 10년 동안 지역 경제를 살리기 위해서 이런 일들을 했다. 이제는 그런 외부에서 무엇인가를 끼워 넣는 '외삽형 개발'과는 다른 방식의 지역 경제 모델을 정말로 진지하게 모색해야 하는 순간이 되었다. 그리고 이건 "그냥 하던 대로 할래요."라고 하는 여당보다는, "정말로 뭔가 바꿔보겠습니다."라고 목소리를 높이고 있는 야당에게 더 시급한 질문이 되었다.

그래서 다시 광주와 전남과 전북 같은 곳을 주목할 수밖에 없다. 어쩌면 작은 지역 모델이지만 가장 정치적인 파급력을 높이고, 1~2년 후에 태풍의 핵 같은 것이 되어 있을지도 모른다. 이 책에 실린 광주 상무지대에 대한 질문은 이런 문제의식 속에서 나온 것이다. 나는 여전히 대안 모색 중이다. 그러나 그걸 모색하는 과정을 아직은 포기할 생각이 없다. 내가 생각하는 한국 경제의 모델은 좀 더 분권형이고, 미세한 것 그리고 지역 시민들을 염두에 둔 것이다. 아쉬운 대로, 그 동안에 써 놓았던 지역 경제와 관련된 글들을 몇 개 이렇게 추려본다.

2장 : 지역이 풀리면 한국이 풀린다

포항 : 집권하려면 이곳 문제 풀 수 있어야

몇 년 전에 스위스의 취리히에 갔다가 이탈리아 아저씨가 운영하는 피자집에 1주일 넘게 단골로 들락거린 적이 있었다. 스위스는 독일어, 프랑스어, 이탈리어, 이 세 가지 언어권이 하나의 국민경제를 형성하고 있다. 취리히의 이탈리아 사람들이 허름한 피자집에 모여서 밤마다 읽던 책은 그람시였다. 오, 안토니오 그람시! '파시즘'이라는 바로 그 단어를 만든 무솔리니가 감옥에 집어넣은 바로 그 이탈리아 공산당의 대표적 인물. 35세에 감옥에 가서 46세에 사망하였다. 이런, 나는 그보다 더 오래 살고 있구나. 아, 나는 너무 개돼지처럼, 그냥 처먹고 사는 데에만 관심을 가졌구나! 나보다 어린 나이에 죽은 그람시가 쓴 『옥중수고』를 우리 친구들은 책방에서 한 번쯤은 만지작거렸을 것이다. 그의 구명을 위해 애썼던 절친 스라파의 책은, 지금은 내용도 잘 기억이 안 나지만, 그람시의 후광만으로도 표지를 열던 손이 부들부들 떨렸던 기억만큼은 아직도 또렷하다.

이탈리아 공산당의 '내부 식민지' 이론

이탈리아 공산당이 유행시킨 여러 테제 중에서 '내부 식민지' 이론이라는 게 있다. 내부 식민지 이론은 공업지역인 밀라노 등 북부 이탈리아와 농업 지역인 남부 이탈리아 사이의 갈등에 관한 얘기이다. 쉽게 말하면, 한 국가 내에서 특정 지역이 다른 지역을 내부 식민지처럼 착취한다는 얘기이다. 이 얘기를 한국에 가지고 오면 수도권, 특히 서울과 다른 지역 사이의 비대칭적 구조에 딱 들어맞는 것처럼 보인다. 서울은 다른 지역을 착취하고, 다른 지역은 서울에 돈과 사람을 빼앗기고…… '지방 균형 발전'이라는 좀 복잡한 개념을 들이대지만, 결국 서울과 다른 지역 사이에 경제적 차별이 있다는 것 아닌가? 자신이 어느 지역에 태어났는가에 따라서 경제적 운명에 차이가 생긴다는 것, 어쩌면 좀 가혹한 일이기도 하다. 하여간 GRDP(지역내총생산)라는, 일종의 지역 소득을 들이대면, 한국의 모든 도시들이 소득에 따라서 한 줄로 서게 된다. 서울은 중간 정도 되고, 울산이 가장 잘 살고, 대구가 가장 못 산다. 정말? 그렇다. 아무것도 없다고 맨날 개발 사업 유치하고 케이블카 놓겠다는 강원도나, 골프장 아니면 지역 경제가 갈 길이 없다면서 유일한 식수원인 지하수 위협을 감내하는 제주도보다 대구가 더 못 산다. 왜 대구가 못 사느냐, 이거야말로 연구 대상이다.

이런 몇 가지 상식들 위에 2012년 대선 이후 가장 궁금했던 지역은 바로 포항이었다. 포항, 그렇다. 박정희 신화와 박태준 신화가 만들어낸 신의 땅! 그뿐이랴? 이명박 정권은 포항 정권이라고 불러도 이상하지 않을 정도였다. 포항은 '형님 대군'이라고도 불리던 이상득의 봉토였다. 경제 위기로 국회에서 예산이 쑥덕쑥덕 삭감되던 순간에도 '형님 예산'은 여지없이 관철되었다는 얘기들이 매일 신문에 나왔었다. 정권 후반기 들어서 위기에 처하기는 했어도 이명박 정권 핵심 실세들 모임인 '영포회', 영일 · 포항 출신들이 실력 행사하던 게 지난 정권 아니었던가? '왕차관'으로 불리던 박영준으로 상징되던 그들은 한때 나는 새도 떨어뜨리는 무소불위의 권력을 휘두른 듯 싶다.

'형님 예산', '영포회' … 포항의 지금이 궁금했다

2009년 8월 18일, DJ 사망 소식을 경주 문무대왕릉 바로 앞에서 들었고, 그때 당시 그의 기구했던 삶에 대해서 생각하면서 포항을 방문했다. 오랫동안 하던 경상도 연구의 현장 조사차 포항 롯데백화점에도 들렀다. 내 기분 탓이었을 것이다. 우울하고 마음 안 좋던 당시 내 눈에는, 다들 경제적으로 어렵다고 하는데, 포항만 유독 경기가 좋고, 잘 돌아가고 있던 것처럼 보였다. 내가 못된 거겠지? 하여간 내 눈에는 그렇게 비쳤다. DJ 때에는 술안주로 홍어가 유행했고, 노무현 때에는 딱히 정권과 관련해서 특히 유행한 음식은 잘 기억이 나지 않는다. MB 정권 때에는 과메기 특구까지 만든다고 하면서 과메기가 유행했다. 이래저래 마음이 편치 않아서 그 후에는 포항을 방문하지 않았다.

지난 대선 이후, 과연 지금 한국 자본주의는 어떨까? 이 질문을 던지면서 제일 먼저 가 보고 싶었던 곳이 포항, 그것도 포항 롯데백화점이었다. 내가 아는 경제 상식으로는 인구 70만~80만 명 정도가 되어야 백화점 하나가 유지될 수 있다는 것이었는데, 인구 50만 미만 시절인 2000년 포항에 롯데백화점이 진출한 것은 이례적이었다. 그게 포항의 경제력을 한눈에 보여 주는 듯싶었다. 그들은 과연 어떨까. 그래서 지난 2013년 4월, 결국 포항으로 달려갔다. 지난 정권에서 그렇게 지역 경제에 크고 작은 특혜를 주고, 고향 출신들이 그렇게 정치적으로 영광을 보고, 게다가 대선에서 또 이겼으니! 그 정도면 지금 '덩더쿵, 덩더쿵' 하고 있어야 할 것 아닌가 싶었다.

오, 마이 갓! 고용은 공무원처럼 안전하고, 월급은 다국적기업 수준으로 높은 포스코를 옆에 놓고, 한편으로는 정권을 두 번씩이나 창출한 그 심장부에서 만난 모든 사람은 극심한 경제적 고통을 호소하고 있었다. 이게 말이 돼? "포스코가 재채기하면 포항 전체는 감기로 시달립니다." 롯데 백화점은 2년째 매출이 마이너스로 급감 추세이고, 여기에 포스코의 구조 조정까지 겹쳐 엄청나게 힘들다는 답변이다. 만나는 사람마다, 지금 포항 경기 말도 아니라는 얘기들을 했다. 솔직히 생각해 보자. 두 번 연속으로 정권을 뺏긴 전라도 지역이 지금 좋을 리가 없지 않은가? 게다가 PK는 다르다면서 TK와는 다른 정서를 보여 주기 시작한 부산도 지금 경제 상황은 상당히 심각하다. 그런데 지금 포항도 힘들다고? 그렇다면 지난 정권에서 도대체 어떤 도시가, 어떤 지역이 수혜를 받았다는 거야?

공교롭게도 내가 포항에서 만난 사람들은, 전원이 박근혜 후보에게 투표한 듯싶다. 이번에는 시간이 없어서 대학생들이나 20대들을 따로 만나지는 못했다.

"그럼 언제 좋아질 거라고 보시나요?"

"아무래도 박근혜가 되었으니, 하반기부터는 나아지지 않을까 싶네요."

"어떻게요?"

지금이 위기라며, 내가 묻지 않았음에도 구구절절 자신들이 처한 또는 느낀 위기 상황을 나한테 얘기하던 사람들. 그러나 그들은 아직 희망의 끈을 놓고 있지는 않았다. 메커니즘을 설명하지는 못해도 박근혜 정부가 하여간 뭔가 잘해서 하반기부터는 경제가 좋아질 것이라고 철석같이 믿고 있는 듯싶었다. 경제학자로서 나는 애잔한 느낌마저 들었다. 나는 서울 사람이다. 경상도나 전라도, 이런 지역적 편견은 정말로 전혀 없고, 그곳이 어느 곳이든지, 그 지역 경제 문제를 풀어야 결국 한국 경제의 문제를 풀 수 있을 것이라는 믿음을 가지고 있는 사람이다.

"시민은 포스코를 사랑합니다."…그럼 포스코는?

마침 2013년은 포스코 창립 45주년이었다. 45? 이런 어정쩡한 숫자를 기념하는 경우도 있나 싶었다. 포항시 전역에는 길 가는 곳마다 "포항 시민은 포스코를 사랑합니다."라는, 정말 닭살 돋는 구호들이 널려 있었다. 진짜 마음 아프지 않은가? 세계 경제의 위축으로 기초 소재를 제공하는 포스코는 2012년 말부터 한참 구조 조정 논의가 진행 중이다. 이젠 공기업도 아니고, 그렇다고 책임지는 누군가 있는 것도 아니고, 별로 합리적으로 의사 결정을 하는 것처럼 보이지도 않는 포스코는 포항을, 포항 시민을 얼마나 사랑할까? 나는 그들이 핵 발전 같은 좀 뜬금없어 보이는 사업에 더 깊이 들어가고 싶어 하는 걸로 알고 있다. 그들의 장기 계획에 이미 노후 설비화된 포항에 대한 대규모 신규 투자가 포함되어 있을까? 내가 알기로는 그렇지는 않다. 이 가슴 아픈 짝사랑이여!

메르세데스-벤츠와 포르셰 등 이름만 대도 벌벌 떨 만한 회사들의 본사가 있는 곳이 독일 슈투트가르트이다. 이 도시는 대표적인 생태 도시인데, 워낙 지내기가 편하니까 다국적기업의 본사들이 알아서 들어간 곳이다. 기업과 지역의 상생이 진행된 대표적 사례다. 그러나 포항의 현실은 그것과는 거리가 좀 멀다. 진짜 일방적인 짝사랑인데, 정치적 힘이 경제적 능력으로 연결되지 않은 대표적 사례가 포항이 아닌가 싶다.

가장 최근의 통계로만 보면 포항시의 1인당 GRDP는 2009년에 2만3,000달러, 2010년에 2만9,000달러였다. 대규모 공단이 있는 구

미시는 2009년 기준으로 5만3,000달러였는데, 여기는 워낙 공단 밀집 지역이라서 경우가 다르다. 원자력 발전소가 있는 울진군은 3만 달러, 여기도 경우가 좀 다르다. 같은 경상북도라도 상주시는 1만 3,000달러가 안 되고 의성군, 청송군 역시 그 수준이다. 이 정도면 포항시는 자족 도시까지는 아니더라도 어느 정도 자생적 경제가 만들어졌어야 했다. 그런데 별로 그렇지는 않아 보인다. 가장 최근의 지역 산업연관표에 의한 효과 분석이 2005년 것이다(나도 더 최근 자료를 찾고 싶지만, 5년에 한 번씩밖에 만들어지지 않는 산업연관표의 가장 큰 문제점은 너무 옛날 자료만 있다는 것 아닌가). 포항에서 수도권으로 5조 원 약간 넘는 돈이 오고, 거꾸로 수도권에서 포항으로 가는 돈은 2조 원 약간 넘는다. 들어오는 돈의 2배 이상이 수도권으로 나간다는 말이다. 이 숫자만 보면 수도권이 포항을 착취한다는 말이 맞을 것 같기는 한데, 그게 다는 아니다. 포항은 전국 대부분의 지역과의 관계에서 들어오는 돈보다 나가는 돈이 더 많은, 그야말로 돈이 커졌다 나가기만 하는 그런 특수한 모습을 가지고 있다. 포항 남쪽 지역, 즉 부산과 경남을 포함한 동남권으로는 3조6,000억 원이 들어오고, 7조9,000억 원이 나간다. 공업지역, 특히 국가 공단 지역이 대체적으로 이런 특징을 가지고 있다. 들고나는 돈 액수가 다른 모든 지역과 차이가 나는 이 같은 불균형은 수출로 상쇄된다. 그런데 그 수출을 담당하는 공단 경제가 어려워지면? 자생적이지만 자족적이지는 않은 도시, 즉 수출 의존형 도시의 한계 아닌가?

포항시의 염원과 달리 포스코가 포항 지역에 대규모 투자를 하지는 않을 것이고, 그렇다고 조정 국면의 세계경제가 증권사들의 희망 찬 바람과는 달리 갑자기 이른 시일 안에 살아나기는 어렵다. 포항 지역 철강 수출이 갑자기 늘 가능성도 별로 보이지 않는다. 참 마음이 답답하다. 전라도나 강원도 등 대부분의 지역은 포스코 같은 거대 기업을 유치해서 그걸로 먹고 살아 보자는 바람이 있었다. 그리고 바로 이런 형태가 지난 10년 동안 한국에서 변치 않는 지역 경제 활성화 모델이었다. 어차피 그런 제조업은 오기 힘드니까 외국 기업이라도 유치해 보자고 했던 게 인천의 경제자유구역 아니었는가? 세계적인 대기업도 가지고 있지, 정권도 벌써 두 번째 차지했지, 다른 지역이 모두 부러워할 그런 조건을 갖춘 포항이 어렵다면, 도대체 다른 지역은 어떻게 하라는 말인가? 내가 보기에는 현재의 한국 자본주의 구조로 본다면 포항도 당분간 답이 없다. 그런데 포항에 답이 없다면, 다른 지역은 과연 어떻게 해야 하는가?

거대 도시의 경제적 위기

2013년 봄, 전국에 아웃도어 열풍이 불었다. 백화점이든 아웃렛이든 구매를 선도하는 것은 단연 아웃도어다. 포항 롯데백화점에서는 요즘 아웃도어 매장도 한산하다는 말을 건네 들으면서 진짜 마음 답답해졌다. 정권을 전유화했던 영포회, 뭐 이런 얘기 들으면 얄밉기도 했지만, 국민경제라는 틀로 볼 때 포항 경제의 위기 호소가 남의 일 같지는 않았다. 자, 많은 포항 시민들의 바람처럼 박근혜 정부가 뭔가 기가 막힌 일을 해서 조만간 경기가 살아나기를 기다리기만

하면 될 것인가? 아니면 지금 이 경제 바닥의 흐름이, 한국 자본주의의 조정 혹은 재구조화가 모습을 드러내는 것인가? 일시적 경기 침체인가? 아니면 일본의 1990년대 경제 위기처럼 아주 길고긴 구조적 고통이 현실로 드러나는 것인가? 이도저도 아니면 한국식 경제 시스템의 자발적 구조 개편이 지금 진행 중인 것인가?

그것이 무엇이든, 정말로 집권을 원하는 대안 세력이 되고 싶다면, 포항의 지역 경제 문제 같은 것에 대해서도 자신의 시각을 정리하고 자신만의 대안을 만들어 낼 수 있어야 한다고 생각한다. 이미 포스코와 그 계열사들 중심으로 철강 벨트를 형성하고 있는 오래된 거대 도시의 경제적 위기, 여기에 대해서 어떤 진단을 내릴 것인가? 민주당이든 혹은 그 누구든, 대안 세력이 되고 싶다면, 누구나 부러워하는 바로 그 도시, 포항에서 고민을 시작해야 할 것 같다. 하여간 내가 만난 모든 포항 사람들은 지금 경제적 고통을 호소하고 있었다. 박정희의 포철 신화가 만든 도시, 여기에서도 대안 모델이 가능할 것인가?

부산 : 다시 살리기 어렵게 망해 간다?

지난 2012년 대통령 선거 전날, 문재인 대통령 후보와 함께 KTX 부산역에 내렸다. 공식 선거 유세를 할 수 있는 시간이 투표 전날 밤 10시까지였다. 워낙 급하게 유세를 계획하다 보니 동선이 얽혀 부산역 앞은 그야말로 난리통이었다. 문재인 후보 발언이 끝나고 짧게 마이크를 잡을 기회가 있었다. 대선 캠페인의 마지막 유세였다. 개인적으로는 그 순간을 평생 잊지 못할 것 같다. 우리 시대에 꼭 이기고 싶었던 선거를 그렇게 졌다. 그날 부산역을 떠나면서 언제 다시 이곳에 올까 싶었다. 노무현에서 문재인 그리고 안철수까지, 야당의 많은 정치인들이 부산이나 부산 인근 지역 출신이다. 그렇지만 이 지역은 대체로 이들에게 냉담했다.

'버블 도시' 히로시마와 닮은 부산

한국에서 울산 다음으로 내가 많이 방문한 지역이 부산이다. 언제 마무리할 수 있을지 모르지만 '히로시마와 부산'이라는 주제로 몇 년째 연구를 진행하고 있다. 두 도시 모두 전쟁과 깊은 관련이 있다. 제2차 세계대전 때 히로시마는 핵폭탄 투하로 결정적인 피해를 입었고, 한국전쟁 때 부산은 유일하게 전쟁 피해를 받지 않았다는 차이는 있지만, 공통점이 많다. 부산은 한국전쟁 때 임시정부가 들어섰다. 히로시마는 청일전쟁 때 일본 내각이 옮겨와 총지휘를 한 곳이다. 그때 군납용 술로 일본 군부가 결정한 것이 청주라서 '사케'가 일본을 대표하는 술이 된 걸로 알고 있다. 야구를 좋아하는 것도 같다. 부산에 롯데가 있다면, 히로시마엔 도요 카프가 있다. 일본 유일의 시민 구단이다. 시민 주주들은 성적이 좋지 않아도 열성적으로 야구단 운영에 참여한다. 두 도시 모두 죽어라고 자동차 산업을 유치해야 한다고 주장했던 곳이다. 도요타나 닛산보다 규모가 작지만, 히로시마엔 마쓰다 자동차가 들어왔다. '히로시마 버블'이라고 불리는 버블이 있던 것도 같다. 그런데 히로시마 버블은 부산에 비하면 아기 수준이다. 2004년 완공된 'Urban View Grand Tower'는 히로시마 버블의 상징적 건물인데, 완공 이후 지역 경제가 침체를 걸었다고 현지인들에게 들었다. 그들이 부끄러운 표정으로 얘기하는 그랜드 타워가 43층이다. 부산 해운대 얘기를 해 주면 그들의 표정이 어두워진다.

특별한 연구비 지원도 없지만 부산에 대한 연구를 몇 년째 계속하고 있다. 그 동기는 어느 부산 출신 금융사 간부의 부탁이다. 연봉 수억 원을 받는 그 양반이 자신의 고향이 도저히 벗어날 수 없는 길로 걷는 것 같아 안타깝다며 길을 찾아봐 달라고 부탁한 적이 있다. 부산 사람들은 어떻게 생각할지 모르지만 해운대, 광안리를 비롯한 일련의 고층 아파트와 주상 복합 건립 붐을 서울에서 활동하는 부산의 많은 경제인들은 그런 눈으로 보고 있었다.

"형이 직접 그 얘기를 하는 게 더 효과적이지 않아요?"

그 말을 건네자 선배는 슬픈 눈초리를 보냈다. 부동산 회사로부터 광고 지원을 받는 언론이나, 증시 시세를 따라 분석하거나 투자해야 하는 투자사 간부들이 양심에 따라 공개적인 얘기를 하기는 아주 어렵다. 선배 부탁으로 마지못해 부산 연구를 시작했다. 그렇게 내려간 부산에서 정말 충격적인 사실을 알게 되었다.

보수 쪽에서 공개적으로 얘기하는 부산은 고층 아파트로 가득한 매력적인 해양 레저 도시이며 관광산업의 메카와 같은 곳이다. 진보 쪽에서 공식적으로 얘기하는 부산은 대선 전략과 같은 정치 공학 외에는 없다. 두 가지 다 너무 뻔한 얘기다. 나는 그 정도에 호기심을 느끼거나 충격을 받지는 않는다. '부산 버블은 터진다. 그리고 집권 새누리당은 마치 일본 지역 경제가 1990년대 이후 테마파크와 아파트 붐, 지방 공항 건설, 광역도시화 때문에 헤어나기 어려운 나락으로 빠져 들어간 그 길을 그냥 걸어갈 것이다.' 이게 부산 경제에 대한 나의 기본 생각이다. 부산 경제의 큰 축 중 하나로 부산시가 주목하는 컨벤션 산업, 아시안게임 이후의 경기장 운영 실태를 보면 그

컨벤션이라는 게 뭔지 너무 뻔하지 않은가? 안타깝지만 망해갈 도시, 그리고 다시는 살리기 어려운 도시라는 게 내 상식이다.

1974년 석유파동 직격탄을 맞은 파리의 에펠탑 인근 센 강에서 고층 타워형 아파트 건립 붐이 일어난 적이 있다. 오일 머니가 진출하면서 "경제를 살려야 한다."는 목소리가 높아지며 건설 붐이 생겼던 것은 프랑스도 마찬가지이다. '이건 아니다'라고 생각한 이들이 있었지만, 당시 사회적 힘이 결국 고층 빌딩 붐을 만들었다. 파리가 버블과의 전쟁에서 늘 승리한 것은 아니다. 1980년대 파리 13구에 주상 복합 붐이 불었는데, 한국에 들어온 주상 복합 아파트의 원형 중 하나가 13구 모델이다. 결론부터 말하면, 이 지역은 슬럼화되었고, 외국인 집단 거주 지역으로 바뀌어 나갔다. 원래 살던 부유층들은 그곳을 떠나갔다. 장기적으로 성공한 주상 복합 모델은 세계적으로 별로 없다. 아파트가 막 위로 올라가려고 할 때, 그걸 어떻게든 서게 만드는 사회적 힘이 있는 곳의 경제가 그나마 지속 가능하고, 그걸 제어하지 못하거나 그 투기 붐에 자국의 중산층들이 편승하려고 했던 도시는 예외 없이 거품 붕괴의 직격탄을 한 번씩 맞게 된다. 서울이라고 좀 다르겠는가? 서울이 보여 준 유일한 힘은 경제적으로 성공 불가능한 용산 개발 사업을 정지시킨 정도 아니겠는가? 이건 사대를 보는 시각의 차이점이다. 투기 편에 서느냐, 투기 편에 서지 않느냐, 그 입장에 따라 사물이 다르게 보이게 된다.

마린시티가 올라가는 동안 경제는 나아졌는가?

내가 정말로 충격을 받은 것은 보수든 진보든, 부산 지역의 많은 경제인들이나 학자들도 해운대 버블의 붕괴를 이미 어느 정도 예견하고 있었다는 사실이다. 내 눈에 비친 한국 제2의 도시, 부산은 속으로부터 죽어가고 있었다. 내가 별스러운 눈을 가진 것은 아니다. 사석에서 자연스럽게 얘기를 주고받다가 부산의 지도층 인사들도 이미 그런 생각을 한다는 것이 놀라웠다. 여기까지는 한국의 다른 도시에서도 흔히 만나는 상황이다. 공식 석상에서 하는 얘기와 사석에서 하는 얘기가 다르다는 것, 그건 아무 일도 아니다. 아니, 한국 아니라 외국에서도 마찬가지 현상이다. 맙소사, 부산에서 사람들이 '독립' 얘기를 하고 있었다. 정말 장난 아니다. 충격적이었다.

이 문제에 대해 보수와 진보 사이에 정서적 인식은 큰 차이가 없어 보였다. 독립? 일본 홋카이도 지역에 가면 종종 독립 얘기를 들을 수 있다. 프랑스에서도 코르시카 섬 출신들한테서 독립의 염원을 가끔 듣는다. 영국 스코틀랜드는 아예 별도의 중앙은행을 운영하고, 따로 파운드화를 발행한다. 이런 지역은 민족적 이질성과 같은 역사적 혹은 문화적 배경이 독립에 대한 노스탤지어와 관련되어 있다. 그런데 부산에서 만난 독립의 염원은 서울 지역 경제로부터의 독립이며 동시에 일본 지역 경제로의 편입에 대한, 지극히 경제적인 이유와 관련되어 있다. 도시국가론, 광역화 같은 공개적으로는 잘 얘기하지 않는 크고 작은 논의들이 작게는 서울로부터의 경제적 독립, 크게는 국가로서의 부산의 독립, 그런 정서적 염원과 결합되어 있었다. 이 정도면 너무 나간 거 아닌가 싶다는 생각이 들 정도지만, 부산 경제의 미래에 대해서 진지하게 고민하는 부산 사람들의 그런 정서를 그냥 간단히 무시할 것은 아니라는 생각이 들었다.

전 세계 유명 해변을 한번 돌아보시라. 해운대같이 초고층 아파트가 대규모로 둘러싼 곳이 있는지? 일본 요코하마가 초고층 건물들을 좀 올렸다가 아파트와 사무실을 채우느라고 정말로 고생 많이 했다. 페리 총독이 일본을 연 개항지라는 역사를 갖고 있는 요코하마는 어쨌든 도쿄가 배후 도시로 버티고 있다. 그러나 부산, 어쩔 것인가?

매년 몇 번씩 올 때마다 논쟁을 한다. 그때마다 부산 사람들의 메뉴가 계속 바뀌었다. 누가 이 아파트를 살 것인가? 처음에는 부산 중산층들이 살 것이라고 했다. 1인당 지역내총생산(GRDP)으로만 보면, 부산 지역은 대구, 전남과 함께 전국 최하위를 기록하는 곳이다. 아무리 계산해도 부산 중산층이 관리비 월 100만 원은 사뿐히 넘어갈 이 고층 아파트를 감당하기 어렵다.

다음에 부산 사람들은 서울 부자들이 별장지로 살 것이라고 말했다. 한국에서 별장지가 되기 위해서는 가장이 차로 운전해서 식구들과 함께 올 수 있고, 인근에 관광할 수 있는 곳이 좀 있어야 한다. 경쟁지로는 부산 해운대보다 강릉 경포대가 훨씬 조건이 좋다. 경포대의 현대아파트 가격과 부산 마린시티의 초고층 아파트 가격을 비교해 보라. 말도 안 되는 얘기이다. 별장지가 아니라 졸부들의 투기적 수요는 일부 있었다.

그 다음에는 일본 사람들이 살 것이라고 했다. 그 말도 안 되는 신화를 깬 것은, 내가 알기로는 〈조선일보〉다. 〈조선일보〉는 외국인들이 부산에서 한 부동산 거래를 싹 뒤져서, 일본인들의 해운대 투자가 없다는 사실을 밝혀낸 걸로 기억한다(2013년 5월7일, 〈조선비즈〉. "부산 아파트, 일본인 특수? 그런 거 없는데예."). 좀 심하다 싶지만, 후쿠시마 원전 사태 이후 일본인들이 몰려올 것이라는 말도 안 되는 얘기를 한 적도 있다. 일본 부자가 한국에 온다면 일본인 거주지가 있는 동부이촌동이나 일본인 학교가 새로 이사 간 상암 지역으로 올 거 아닌가?

마지막으로 부산이 제시한 수요층은 울산의 중산층과 부자들이다. 참, 눈물겨운 신화 만들기이다. 1인당 소득 전국 최고인 울산도 요즘 거품 붕괴에 직면해서 전전긍긍하고 있다.

청년들은 고향 등지는데 백화점은 호황

전 세계 경제의 심장부 미국도 투기와 함께 경제가 몰락하는 것을 버티지 못했다. 해운대에 마린시티가 올라가고 있는 동안 부산은 과연 좋아졌는가? 부산 고졸자의 수도권 유출률은 2009년 기준으로 16.2%이다. 문제는 이들 중 대학 졸업 후 부산으로 다시 돌아온 사람은 9.2%에 불과하다는 것이다(한국고용정보원, '대졸자 직업 이론 경로 조사' 참고). 부산에 갈 때마다, 특히 최근에 더 많이 듣게 되는 것은 "부산에 청년이 없다."는 말이다. 학력 상위층이 서울로 가서 다시는 돌아오지 않는다는 의미일 것이다. 인간의 말로 바꾸면, 부산의 부자들이 해운대에서 투기 놀이하는 동안, 그들의 공부 잘하는 자녀들은 부산에서 떠나가는 것이다. 젊은이들이 고향을 등지는 도시, 그런 모델이 잘 될 이유가 있나?

매번 부산에 올 때마다 해운대에 들른다. 영화 〈해운대〉에서 보여준 쓰나미의 비극을 보면서, 해운대가 관광으로 뜨겠다고 좋아했던 것이 우리 모습이기는 하다. 해운대를 기반으로 지역 경제를 형성한 이 도시는 제조업의 구조 조정과 함께 장기적으로는 갈 길을 잘못 찾고 있다. 그 빈 공간을 토건이 사정없이 파고들었다. 이 콘크리트 더미 위에서 앞으로 어떤 희망을 찾을 것인가? 그것은 부산만의 고민이 아니라 전후좌우 없이 토건으로 내달렸던 많은 도시들이 당면한 문제다. 대선이 몇 번 지나갔지만 부산에 새로운 희망이 온 적은 없다. 다른 방식의 논의를 해 보자는 목소리도 미약했다.

『김석준 부산을 걷다』라는 책에는 사진작가 화덕헌이 맛깔스럽게 찍어 낸 부산의 모습이 담겨 있다. 그의 눈을 통해 본 부산 아파트의 개발 모습은 정서적으로 내가 느꼈던 것과 비슷하다. 그의 사진은 장엄하면서도 애잔하고, 어딘가 회고적이다. 부산 사람들이 말하는 해운대 아파트에 사는 부산 중산층, 그게 바로 해운대에 사는 자연인 화덕헌의 삶이다. 민주노동당이 분당되기 직전 부산에서 그를 만난 적이 있다. 그 후 사진작가 화덕헌은 해운대구의 기초의원이 되었다. 간만에 부산에 간 김에 화덕헌을 만날까 했다가, 결국 그냥 발길을 돌렸다. 내 연구는 아직 진행 중이라서, "이렇게 하자."는 얘기를 꺼낼 자신이 없었다.

해운대의 저 콘크리트 더미 앞에서 한국의 보수는 길을 잃었다. 부산에서 계속 살아가는 20대에게 저곳이 도대체 무슨 의미가 있겠는가? 진보도 길을 잃은 것은 마찬가지인 듯싶다. "고향 사람이니까 밀어 주세요." 그 얘기 외에 무슨 말을 했었는가?

지난번 방문한 포항의 경우 백화점은 어렵지만 죽도시장은 여전히 성업 중이었다. 부산은 백화점이 여전히 성업 중이다. 그것도 엄청나게 잘된다고 한다. 그 대신 아웃렛 매장 등 전통 상권이 급속도로 추락 중이라고 한다. 이 정도면 경제 현상이 아니라 문화 현상에 가깝다. "부산은 서민적이다."라는 일반인들이 흔히 말하는 그 부산의 모습은 현장에서나 데이터에서나 관찰되지 않는다. 부산에서 서울로 향할 때, 희망을 보면서 기분이 좋아질 상황이 언젠가 올까? 광안대교 밑으로 마침 요트 대회가 진행되는 진귀한 모습을 보았지만, 그다지 희망이 보이지 않았다.

울산 : 미래 알 수 없는 부조리극 도시

〈누가 버지니아 울프를 두려워하랴〉, 버지니아 울프와는 아무 상관없는 에드워드 올비의 희곡이며, 영화 제목이다. 솔직히 희곡은 물론 영화도 보지 못했다. 스크립트 수준의 약간의 소개만을 봤을 뿐이다. 이 희곡의 제목은 정작 영국의 작가 버지니아 울프보다 더 유명할 정도다. 그렇다면 버지니아 울프는 제대로 아는가? 정신 질환으로 고통을 받았으며, 어린 시절 의붓오빠 성폭력에 희생당했으며, 가부장적 남성주의 사회에 대해 강한 반감을 가지고 있었다는 사실은 알고 있다. 우즈 강에 투신해 스스로 목숨을 끊었다. 아주 어린 시절 읽은 그녀의 따분하다 싶은 소설 일부분이 드문드문 기억난다. 그냥 가슴에 손을 얹고 생각한다면? 희곡 또는 영화 〈누가 버지니아 울프를 두려워하랴〉도 모르고, 버지니아 울프도 제대로 모른다. 경제학자 존 메이너드 케인스와 버지니아 울프가 같은 토론 그룹에 속했다는 것 정도로 버지니아 울프를 안다고 할 수 없다. 내 주변의 많은 사람들에게 같은 질문을 해봤는데, 역시 나와 사정이 많이 다르지 않았다. 오! 우리는 인문학적 소양이 결핍된 경제인 혹은 경제 전문가들이다.

모두가 부러워하는 부자 도시

버지니아 울프를 버지니아 '울산'이라고 바꿔도 사정은 크게 다르지 않을 것 같다. 아니 심지어 "누가 버지니아 '울산'을 두려워하랴."라고 해도 상황은 마찬가지일 듯싶다. 버지니아 울프를 전혀 모르는 사람이라도 '누가 버지니아 울프를 두려워하랴'라는 희곡의 제목은 들어 봤을 것이다. 이 희곡을 몰라도, 버지니아 울프를 몰라도, 이 복잡한 구조의 메타 텍스트의 생명력은 유효하다. 그것은 일종의 부조리극이며, 기승전결에 따라 꽉 채워진 고전적 구조와는 또 다른 연상과 기호의 세계다. 이 희곡은 사실 버지니아 울프와는 아무 상관도 없다. 희곡의 제목(Who is afraid of Virginia wolf?)은, 원래 동화였던 것을 디즈니가 애니메이션으로 만들어 크게 성공시킨 〈아기 돼지 삼형제〉의 주제곡, '누가 크고 나쁜 늑대를 두려워하랴'(Who is afraid of big-bad-wolf?)에서 따온 것이다. '크고 나쁜 늑대'는 이 동화와 영화에서 나오는 악당이다. 작가는 원래 '누가 크고 나쁜 늑대를 두려워하랴'라는 제목을 그대로 가져오려 했는데, 이 만화영화로 엄청난 돈을 벌어들이게 된 디즈니 쪽에서 반대하면서, 비슷한 어감을 주는 버지니아 울프라는 이름이 들어가게 되었다. 버지니아 울프든, 버지니아 울산이든, 무슨 상관이 있으랴!

최근 포항과 부산에서 경제에 관한 이야기를 나누다 사람들에게 공통적으로 들은 얘기가 있다. "이곳 부산(포항)의 호화 아파트들은 결국 울산의 부자들이 사게 될 겁니다."

부동산의 눈으로 보면 수도권에서 갑 중의 갑은 '강남'이고, 이걸 경상도 버전으로 바꾸면 울산이 갑 중의 갑이 된다. 한국에서 궁극의 부자는 바로 울산이라고, 많은 사람들이 생각한다. 수치들은 그 말이 아주 틀리지 않는다고 말해 준다. 지역총소득으로 보면 울산은 1인당 6만 달러를 넘어선다. 서울은 평균 수준일 뿐이다. MB 정부가 자신들의 목표로 747을 내걸었다. 1인당 국민소득이라는 신화화된 언어로 얘기하면 이미 6만 달러를 넘어선 울산은, 어느 코미디 프로그램의 유행어에 딱 들어맞는다. "한국이 아니므니다. 스웨덴이므니다." 물론 한국은행에서 가끔 지적하는 것처럼 자금 유출, 즉 본사로 유출되는 자금의 비중이 워낙 높기 때문에 이 돈이 그대로 울산 시민들의 소득은 아니다. 울산의 현대중공업, 현대자동차 등 수출 업체의 매출액이 지역 소득으로 집계되기 때문에 높아 보이는 것으로 이해할 수 있다. 그럼에도 울산은 여전히 부자 도시이고, 많은 사람들이 돈 벌러 울산으로 간다. 가족이 따로 사는 분거 가족의 전국 평균은 16.9% 정도인데, 울산은 23.7%로 전국 평균보다 상당히 높다. 직장 때문에 따로 사는 경우는 45.4%, 학업이 이유인 경우는 36.9%다(울산발전연구원, 울산경제사회브리프 21호, 2012년). 몇 년 지나면서 세종시 통계들이 나오기 시작하면 분거 가족 항목에 기상천외한 수치들이 나올 것 같지만, 어쨌든 현재는 울산의 수치가 비교적 높은 편이다. 이런 수치들을 종합해 보면, 울산에 산다는 것은 확률적으로 다른 지역보다 낫다는 것을 의미하고, 식구들을 두고 돈 벌러 갈 만한 가치가 충분히 있다고 사람들이 판단하는 지역이라고 할 수 있다. 그리고 포항이나 부산의 부동산 업자들이 '울산의 부자'라고 표현할 만큼, 운이 좋다면 아주 크게 성공할 가능성도 있어 보인다. 적어도 다른 지역보다 그럴 개연성이 높다.

존 롤스가 '정의론'을 이야기하면서 아직 태어나지 않은 유아의 영혼들이 맺게 되는 계약에 대해서 말한 적이 있다. 이를 '신계약론'이라고 부르기도 한다. 아직 자신이 어느 육체에서, 누구의 아들이나 딸로 태어날지 모르는 유아들이 계약을 한다면, 불리한 경우를 최소화하도록 하지 않겠느냐는 게 롤스의 추론이다. 흔히 '맥스민(max-min)'이라고 부르는, 약자의 후생이 최대화되는 것이 정의라고 하는 롤스의 정의론은 바로 이제 태어날 영혼들의 계약에 대한 사유에서 나왔다. 영혼들이 보기에는 자신이 이병철이나 정주영의 아들로 태어날 가능성보다는 울산 현대자동차 공장의 비정규직 노동자로 태어날 가능성이 더 높거나 혹은 이 경우의 위험성이 더 심각해 보이지 않겠는가? 그러니 이들은 정주영 아들의 형편을 더 높게 하는 것보다는 비정규직 노동자의 상황을 더 높게 해 주는 방식의 계약을 하지 않겠는가. 이게 롤스의 정의론이다. 만약 한국에서 태어날 영혼들이 자신이 태어날 지역을 선택할 수 있다면 과연 어디를 자신의 고향으로 선택할 것인가? 수치만 가지고 선택한다면, 그들은 지역 평균 소득이 가장 높은 울산을 선택하는 것이 타당할 것이다. 하지만 좀 더 상상한다면, 대부분의 영혼들은 서울을 선택할 것이다. 그리고 아주 일부의 영혼이 울산을 선택할 것이다. 모르긴 몰라도, 그들은 수치만 가지고 세상을 보려고 하는 경제학자가 되기 위해 경제학과에 입학하지 않을까?

경제적 풍요 속 생태적 건강 잃어

지난 2012년 봄 수년 만에 다시 울산을 방문했다. 현대자동차 정문은 한산했다. 토요일, 일요일, 이런 거 없이 부산하게 돌아가던 공장은 비정규직 문제의 타협점을 못 찾아서 주말 근무를 쉬는 중이었다. 파업할 때에도 사람들이 부산하게 움직이는 것에 익숙했던 나로서는 약간 당황스러웠다. 인근의 식당 주인들은 현대차 노동자들의 수입이 줄어서 자신도 수입이 줄었다고 약간 앓는 소리를 했다. 물론 나는 심각하게 듣지 않았다. 내가 방문하기 불과 며칠 전에 현대차는 중국에 대규모 공장을 신설하겠다고 발표했다. 울산 공장 인근의 식당 수입에는 단기적인 교란이 있을지 모르겠지만, 현대차에 장기적 위기가 있을 것 같지는 않고, 이미 세계화된 현지 생산 구조로 인해 환율 변동 영향을 적게 받는다. 따라서 엔저 때문에 죽겠다고 말하는 것도, 그냥 엄살로 이해하고 있다.

'울산의 대치동'이라고 불리는 옥동에 다시 찾아가 본다. 1년 전에 비해 주상 복합 건물이 조금 더 늘기는 했지만, 해운대의 마린시티나 인천의 송도 같은 데 비하면 정말 '새 발의 피'처럼 느껴졌다. 물론 조건이 별로 좋지 않은 울산의 주상 복합에 어려움이 있다는 것은 알고 있다. 아마 2012년에 최초로 외제 승용차를 분양 경품으로 내걸었던 곳도 울산이라고 알고 있다. 그러나 다른 지역과 울산이 다른 것은, 이 아파트들을 뒷받침해 줄 경제적 실체가 존재하는 거의 유일한 지역이라는 점이다. 만약 울산 아파트에 위기가 온다면, 그건 이미 한국 자본주의가 2008년의 글로벌 금융 위기보다 더 큰 위기 장세로 깊숙이 들어간 다음일 것이다. 이 정도면 애교 수준이다. 그게 '울산 버블'의 핵심 옥동에 대해서 내가 가진 느낌이다. 이 논리를 뒤집으면, 옥동도 위험할 정도라면, 한국 전체에 위험하지 않은 아파트는 없다, 그런 얘기가 될 것이다.

마지막으로 울산항과 울산 석유화학 단지를 방문했다. 너무나도 익숙한 휘발성 유기화합물의 냄새가 코끝을 찔렀다. 대기 문제 중 흔히 악취 문제라고 부르는 것들이 시간이 지난다고 해결될까? 이런 대규모 석유화학 단지에서 이 문제를 완벽하게 해소하는 것은 기술적으로는 가능하지만 경제적으로는 불가능하다. 황산화물, 이후에 질소산화물 그리고 미세 먼지, 이렇게 한국의 대기 관리 패러다임이 지나온 순서대로 보면, 많은 경우 울산의 대기 질은 서울보다 우수하다. 수치상으로도 그렇고 실제로도 그렇다고 생각한다. 그렇지만 이 휘발성 유기화합물이 만들어 내는 악취 문제, 이건 앞으로도 해소되기 어려울 것이다. 불행히도 이건 발암 물질이다. 계측기를 들고 가서 재지는 않았지만, 내가 한참 이 지역에서 활동하던 시절과 많이 다르지는 않다는 것을 느꼈다. 물론 이 문제를 풀 방법이 아주 없지는 않지만, 노무현 정부든, 이명박 정부든, 심지어 현 정부에도 해결 의지가 있을 것 같지는 않다. 4대강 사업을 '녹색 성장'이라고 하는 사람들에게 울산 석유화학 단지의 악취 문제가 눈에나 들어오겠는가? 고래 보호와 지역 경제 사이에서 생태 관광으로 적당한 타협을 본 장생포에 즐비하게 늘어선 고래 고기 전문점과 고래 박물관 사이의 그로테스크한 이질성, 그게 울산 석유화학 단지의 환경 문제 아니겠는가?

수출 중심으로 달려온 한국 경제의 과거와 미래가 석유화학 단지의 핵심을 형성하는 울산항 바로 옆에 있는 장생포 포구에 그대로 펼쳐진다. 야박한 얘기지만, 나한테 울산에 식구들을 데리고 와서 살겠느냐고 물으면, 아니라고 대답할 것 같다. 지역 소득 측면에서 한국의 모든 도시들이 부러워하고, 한 개만 있어도 좋겠다는 국가공단이 여러 개인 데다 온산공단까지 끼고 있는 울산은 얼마나 부러운 도시인가? 모든 지자체가 울산처럼 되지 못해서 난리 아닌가? 그러나 이들에게도 고민이 있다. 태화강의 생태 복원은 전국적으로 최고의 성공 사례로 꼽히지만, 그 사례가 이 지역이 생태적으로 건강하거나 보건적으로 안전하다고 보장해 주는 것은 아니다.

울산의 주도권을 쥐고 경쟁하는 것은 세 개의 세력이다. 하나는 정몽준으로 대표되는 새누리당 세력, 바로 자본과 돈의 주인이다. 또 다른 하나는 '울산이 조승수를 알고 조승수가 울산을 안다'는 최고의 슬로건을 내걸었던 노동자들과 그들의 일부가 지지하는 진보

정당. 마지막으로 생태 도시 울산을 향해 또 다른 힘을 만들어 나가고 있는 울산의 시민사회다. 민주당? 이 기이한 도시에서 그들의 자리는 아직 없는 듯싶다. 경상도의 힘과 자본의 힘이 딱 결합한 울산 그리고 그 틈바구니에서 노동자와 시민이 각각 자신들이 설 자리를 어떻게든 만들려고 하는 이 상황에서 '민주'라는 이름은 적어도 경제 측면에서는 아무것도 아니다.

경제 선진화, 울산에게 어떤 의미인가

지금의 울산은 내용적으로도 실질적으로도, 그렇게 모범적인 도시는 아니다. 경제적으로 약간 풍요로울지는 몰라도, '보건적으로 안전한 도시'로 가기 위한 로드맵도 없다. 그냥 먹고살기 위해서 가장들이 일하러 오는 도시에 더 가까워 보인다. 그렇지만 새로운 변화의 가능성을 가장 많이 가지고 있는 도시 또한 울산이다. 공단 지역이 생태 도시로 전환되는 그 거대한 실험이나 시민들의 자치가 가능할 수 있는 건, 여기는 아직도 돈이 있기 때문 아닌가? 다른 지역 주민이나 지자체가 모라토리엄을 고민하면서도 토건 사업으로 질주하는 동안, 그나마 '삶의 질'에 대해 고민했던 거의 유일한 광역도시가 울산이라고 할 수 있다.

2014년 지방선거, 보나마나 이 지역은 새누리당의 싹쓸이 지역이 될 것이고, 잘해야 노동자들이 기초의회 몇 자리 정도나 건질 것 같아 보일 것이라는 전망은 크게 틀리지 않았다. 조승수의 시대, 앞으로 안 올지도 모른다. 뭐, 좋다. 현실이기도 하고. 진보정당이든, 민주당이든, 울산의 미래는 이래야 한다고 고개가 끄덕거려지는 대안을 제시한 적이 없기도 하다. 어차피 큰 토건이나 작은 토건이나 비슷한 상황에서 이게 진보다, 이게 보수다, 그런 얘기는 적어도 울산에서는 별다른 의미가 없어 보인다. 그렇다고 자동차의 도시 미국 디트로이트처럼 몰락할 것인가? 그러기에 울산은 가진 게 이미 많다.

그러나 중요한 질문이 남는다. 이명박 정부는 '경제 선진화'를 기조로 내걸었다. 747, 그런 식이면 울산은 이미 선진화되고도 남았다. 한국 자본주의의 고도화, 한국 자본주의의 선진화, 뭐든 좋다. 그게 울산한테는 어떤 의미인가? 수출이 획기적으로 늘거나, 잔업수당이 늘어서 지역 식당이 죽어라고 핑핑 돌아가는 게 울산의 미래인가? 아니면 자본가들의 하수인일 뿐인 보수 정치인들의 손에서 노동자 전사들이 지역 자치의 주권을 찾아오는 것이 울산의 미래인가? 한국 자본주의의 최전선, 수출 전선의 심장에서 길을 묻는다. 누가 버지니아 '울산'을 두려워하랴? 각 지역, 각 지자체가 가지고 있는 많은 문제와 '과제'들을 이미 해결한 광역도시 울산, 우리가 울산을 아는가? 그리고 울산의 미래를 아는가?

광주 : 5·18 토건장사 중단을… '소돔' 같은 상무단지

광양, 여수, 영암, 영광, 곡성, 나주, 장성, 담양, 함평, 무안, 순천, 장흥, 화순, 해남, 강진, 신안, 보성, 진도, 고흥, 목포, 완도, 구례 그리고 광주. 이 도시의 이름은 젊은 극우파들이 '홍어'라고 부르는 사람들이 태어난 곳이다. 일반적인 지역 분류로는 광주전남이라고 부른다. 이들 지역 중에서 곡성이라는 곳에는 아직 가 보지 못했다. 구례는 수년 전 귀농하면 살려고 생각했던 지역 중 하나다. 열거한 지역들은 한국은행이 2013년 5월 발간한 '전라남도 22개 시군 경제지표 비교'라는 보고서에서 1인당 지역 소득(지역내총생산, GRDP) 수준이 높은 순서대로 적은 것이다. 포스코 광양제철이 있는 광양이 제일 잘살고, 그 다음이 화학 공단이 있는 여수, F1 대회를 유치한 영암, 원전을 가지고 있는 영광이 앞에 있다. 그 뒤를 잇는 곡성과 영광

사이에는 연간 소득 기준으로 1,000만 원 이상 확 차이가 난다. 나주의 1인당 지역내총생산은 2,270만 원으로, 앞의 세 지역과 큰 차이가 난다. 그리고 순서에 상관없이 광역도시로 분류되어 있지만 광주전남 통계에서 같이 처리하는 광주, 2010년 기준으로 1인당 연간 1,540만 원의 지역내총생산을 기록하고 있다.

아무 생각 없이 이 자료를 보다가, 만약 자신의 고향이 광주전남이고, 그 중에 자신이 태어나고 싶은 곳 하나를 고른다면, 광양이나 여수 정도 아니면 영암이어야 한다는 결론을 내리기 십상이다. 그리고 광주에는 태어나고 싶지 않다. 전남 지역의 평균 1인당 지역내총생산인 2,640만 원보다 한참 떨어지는 광주의 1,540만 원. 수치만 보면 그렇지 않은가? 수도권의 시각으로는 광주 인근 베드타운 정도라고 할 수 있는 나주보다도 지역내총생산이 낮다니! 서울식으로 말하면 일산이 오히려 서울보다 지역 소득이 높은 경우라고 할 수 있다. 아니, 강남보다 분당이 더 잘산다는 이야기다. 이 통계와 추계 분석은 그런 얘기를 해 주고 있다. 기계적으로 해석하면, 광양이나 여수는 국가 공단을 가지고 있고, 영광 역시 국가 시설물인 원자력 발전소를 가지고 있는 곳이다. 영암은 최근에 F1이라는 국제 자동차 대회를 유치한 곳이다.

이 수지 그대로 본다면, 그 지역 생태계가 죽거나 말거나, 무조건 철강이나 석유화학 단지를 유치해야 하고, 그도 아니면 F1 경기장 시설 혹은 원자력발전소를 가지고 있어야 한다는 결론이 나온다. 포항과 울산의 현장 조사 내용이 보여 주듯이 수출 의존형 한국 경제에서 이 수치들은 그야말로 도깨비 보고서 같은 것이다. 그 지역 시민들의 실제 삶을 그대로 보여 주는 게 아니다.

지역내총생산은 떨어지는데 재정 자립도는 최고

또 다른 수치, 재정 자립도를 보자. 광주는 46.6%, 광주전남 지역 가운데 최고이다. 자신의 일은 자신이 알아서 한다는 원칙을 중시하는 지자체 행정의 눈으로 보면 단연 광주는 스스로 걸어갈 수 있는 도시의 모습을 보여 준다. 전남 지역에서 가장 잘산다는 광양은 39.5%밖에 안 되고, 남해안 화학공업의 중심 도시라 해도 이상하지 않은 여수는 이보다 훨씬 낮다. 여수 엑스포의 후유증 때문에 여수 행정 기구를 통째로 팔아도 감당하기 어려운 현 상황을 감안하면, 지역총생산이라는 수치가 얼마나 특정 지역에서 왜곡된 현실을 보여 주는지 잘 알 수 있지 않은가? 전남 평균의 재정 자립도는 17.2% 정도이다. 뒤집어 말하면 중앙정부에서 예산의 80% 이상을 지원해 주지 않으면, 스스로의 힘으로는 아무것도 하기 어려운 곳이 전남 지역이라는 말이다. 이걸 다른 각도에서 보면, 경상도 지역에서 불만을 가지는, 아무것도 없는 전남 지역에 민주당 정권 10년 동안에 엄청 퍼 주기만 했다는 얘기의 근거가 된다. 뭐, 비율만 보면 그렇지만 절대 수치로 그렇게 간단하게 얘기할 것은 사실 아니다.

수치 얘기 하나만 더 하자. 비상식적인 수치, 즉 1인당 대출금이 10만 원밖에 나오지 않는 신안군을 제외하면 전남 지역에서 가장 대출이 적은 지역은 구례군으로 281만 원이다. 그렇다면 가장 많은 곳은? 1인당 1,317만 원의 대출을 가지고 있는 목포다. 다른 산업 활동 등 기타 통계를 감안하면, 목포는 현재 투기, 그것도 부동산 투기의 도시다. 목포 시민들은 다른 지역에 비해 월등히 많은 아파트 대출을 가지고 있을 가능성이 높다고 의심할 수밖에 없다. 그러나 이보다 높은 곳, 그곳이 바로 광주다. 1인당 1,404만 원의 대출금을 가지고 있다.

이 두 가지 수치를 결합시키면, 한 가지 결론이 자연스럽게 나온다. 광주는 별 산업이나 소득도 없이 부동산 투기를 조장하면서 시민들에게 더 많은 대출을 가지게 하였고, 그것을 통해서 지역세를 확보해 광주전남 지역에서 보기 드문 46.6%의 재정 자립도를 갖추게 되었다. 인간의 말로 하면, 광주는 토건의 힘으로 광주 시민의 뼛골을 빼먹는 도시였더라! 당연히 국가 공단의 힘으로 부동산이 힘을 갖춘 여수나 광양에 토건 현상이 벌어지는 게 맞을 터다. 그러나 그 지역보다 더 많은 1인당 대출금을 기록한 광주, 이것의 의미를 어떤 방식으로 해석할 수 있을까?

우리 세대의 많은 친구나 동료들은 광주를 충장로나 금남로라는 지역으로 이해하고 있을 것이다. 그야말로 추억 속의 한마디! 이제 충장로, 금남로는 서울에서 종로가 고령화되는 것보다 훨씬 더 큰 어려움을 겪고 있는 광주의 구시가지에 불과하다. 요즘 광주에서 뜨는 지역은 바로 상무 지구라는 곳이다. 조선대에서 출발해 금남로를 거쳐 광주역을 넘어 전남대까지 가는, 마치 1980년대 대학생 성지순례와도 같던 그 광주의 거리는 이제 죽어 가는 구시가지가 됐을 뿐이다. 2013년의 광주는 바로 상무 지구다. 광주의 서쪽 기아자동차 광주 공장과 김대중컨벤션센터를 잇는 선의 한가운데 5·18기념공원이 있고, 그 한가운데에 상무 지구가 있다. 아, 그리고 그 한가운데 지금의 광주시청이 있다. 광주의 그 쓰라린 아픔을 가지고 신도시 놀이를 하면서 토건으로 장난치고, 유료 순환형 도로를 몇 개씩이나 놓는 그 상황이 너무 가슴 아파서 오랫동안 이곳에 가지 않았다. 그러나 이번에, 정말 가고 싶지 않은 마음을 잠시 내려놓고 그 상무 지구를 방문했다.

정치인은 5·18로 권력 장사, 경제인은 토건 장사

포항에서, 울산에서 그리고 부산에서 보았던 무슨 무슨 파크 따위의 고층 아파트로 이루어진, 서로 자기 지역의 강남이라고 자칭하던 바로 그 모습을 광주시청 인근에서 흔하게 볼 수 있다. 별천지가 펼쳐진다. 이것만 보면 지역 경제에 관한 온갖 통계가 전부 수치상의 장난으로만 보인다. 그리고 광주시에서 우리도 4대강 사업을 할 수 있게 해 달라며, 정말 열성적으로 유치한 바로 그 영산강이 왼편으로 펼쳐진다.

솔직히 말해 보자. 나는 5·18을 두고 민주화 인사들이 기껏해야 자신의 자리다툼에 이용하는 것이 불편했다. 그리고 그 추억을 가지고 민주당 국회의원들이 마음껏 토건 놀이하는 것도 정말 보고 싶지 않았다. 그게 광주의 발전인가? 광주 시민의 1인당 대출금을 다른 전남 지역과 비교해서 보라. 금남로의 그 아픔을 가지고 민주화 10

년 동안 토건 놀이하던 곳이 광주시다. 그렇지 않다고 얘기할 수 있는 통계치가 내 눈에 보이는 게 없다. 그리고 이 모습을 보면서 지난 수년간 내가 만난 경상도 사람들이 "우 박사, 광주의 토건을 봐라. 왜 우리한테만 이렇게 가혹한 잣대를 들이대냐?"고 말하는 것을 듣고 어떤 이야기도 하지 않은 채, 눈을 질끈 감고 참았다. 왜냐? 바로 광주 이야기니까.

안철수가 말했던 새 정치 혹은 정치 개혁을 내 방식으로 말하면 일본을 망하게 했던 토건 정치의 청산이야말로 새 정치이자 정치 개혁이다. 앞에 제시한 수치를 두고 다른 해석을 할 수 있으면 한번 해보시라. 정치인들이 5·18로 권력 장사를 한 것처럼, 경제인들은 토건 장사를 하고 있던 것 아닌가? 나는 오래간만에 방문한 상무 지구에서, 눈앞에 펼쳐진 소돔과 같은 모습에서, 우리가 지지했던 지난 10년간 민주당 정권의 허실을 그대로 보는 듯했다. "왜 우리한테만 이래." 골프장과 댐 문제, 4대강 사업 때문에 수없이 방문했던 경상도 토호들이 내게 했던 말들이 귀에 쟁쟁하게 들리는 듯했다.

대선에서 민주당이 지고 나서, 내가 만날 수 있던 많은 민주당 인사들에게 내가 한 말은 "광주가 잘해야 한다." 또는 "박원순의 서울시만큼은 해야 한다."는 것이었다. 그들 중 단 한 명도 "맞아, 광주가 보범을 보여야 한다."고 답한 사람은 없었다. 모두가 서울과 이런저런 통계를 비교하면서 '서울은 예산이 많고, 특별한 도시 아니냐.' '우리는 돈이 없어 힘들다.' '박원순은 행복한 사람이다.'라는 식의 말들만 했을 뿐이다. 광주의 발전 방향을 두고 다른 의견을 내놓는 사람이 없었다. 그러나 이번에 별도로 광주전남 지역의 통계치만 가지고 분석해 보니 광주 토호들 혹은 민주당의 광주 토호들이 그동안 얼마나 5·18을 가지고 토건 장사를 해먹고 있었는지 여실히 보여 주었다.

진보에게 말하고 싶다. 우리는 대선에서 졌고, 2014년 지방선거에서도 졌다. 그럼에도 현 대통령의 지지율은 높다. 2008년 글로벌 금융 위기 이후로 세계 자본주의도, 한국 자본주의도 전환점을 맞을 것이라고, 하다못해 〈조선일보〉마저도 '자본주의 4.0' 같은 얘기를 했다. 이런 와중에 광주 상무 지구에서는 토건 외에는 보이는 것이 아무것도 없다. 그리고 '우리는 서울과는 다르다.' 같은 도무지 이해하기 어려운 민주당식 화법 외에는 들은 바가 없다.

쉽게 얘기하자. 광주가 바뀌어야 진보가 바뀌고, 그래야 한국의 흐름을 우리가 가지고 갈 수 있다. 지난 대선, 문재인의 선거 공약과 기조는 한국 진보 정당의 기조를 뛰어넘었을 정도로 혁신적이었다. 그런데 이미 민주당이 장악하고 있는 광주를 비롯해서 전남의 어느 도시에서도 그런 새로운 변화를 이끌어 나가려는 흐름을 보기 어렵다. 중앙에서 못 하더라도 지역에서는 할 수 있고, 완벽하지는 않더라도 제한적 시도라도 할 수 있는 것 아닌가? '복지국가 한국'을 외쳤던 지난 대선의 민주당 기조가 최소한 한국 민주주의의 메카라고 하는 광주에서 복지국가 흐름 비슷한 것이라도 형성해야 하는 것 아닌가? 그리고 그래야 '수권 능력 혹은 통치 능력을 가지고 있다.'고 경상도나 다른 지역 시민들을 설득할 수 있는 것 아닌가? 4대강 사업이 영남만이 아니라 호남에서도 갈급하게 요구되었던 것, 그게 우리가 지난 대선에 패배했던 본질적 이유라고 나는 생각한다. 우리가 이기고, 한국 자본주의의 형질을 – 본질이 아니라도 – 조금이라도 바꾸려면 광주에서 변화가 생겨나야 한다.

한국 자본주의 형질 바꾸려면 광주가 출발점이 돼야

기술적인 문제는 차치하고라도, 'DJ 선생'과의 자그마한 인연이라도 부여잡으면 정치적 지분을 가질 수 있는 구조 정도는 바꿀 수 있지 않을까 싶다. 그걸 풀뿌리 민주주의에서 시작하자고 주장하고 싶다. 개혁하기 어려운 민주당의 호남 국회의원들은 차치하고라도, 지방선거에서는 복지 광주, 복지 전남에 동의하는 적극적인 20~30대 주자들로 기초의원들은 전부 물갈이하자고 말하고 싶었다. 그런 20~30대의 대물결이 광주에서 시작되어야 한다. 지금의 토건 광주가 아닌, 풀뿌리에서 다시금 공동체와 연대 그리고 복지를 주장하는 젊은 물결이 시작되지 않는다면, 광주는 개혁되기도 갱생하기도 힘들다. 안철수가 지금의 민주당 구조를 포기하는 것처럼, 경제학자로서 나는 지금 광주의 거버넌스로는 상무 지구 한가운데 편안하게 들어가 있는 광주시청의 의사 결정 구조를 바꾸기 어렵다고 판단한다. 정치적 변화 없이 경제적 변화를 만들기 힘들다.

한 가지는 확실하다. 5·18의 광주가 그런 개혁을 할 수 없다면, 한국에서 자생적으로 그런 변화를 만들 수 있는 도시는 없다. 토건이 아니라 복지로, 부채가 아니라 공동체로 가야 하는 것에 동의한다면 그 출발이 광주여야 한다. 그게 내가 광주 상무 지구에 다시 와서 내린 짧은 결론이다. 정권교체를 원한다면, 2014년 지방선거는 20~30대, 복지 광주의 신념을 가진 젊은 정치인으로 싹 물갈이를 해야 한다. 그 방법 외에는 없다. 그러나 그들은 그렇게 하지 않았다.

전주 : 새만금과 생협 운동이 충돌하는 곳

여느 한적한 농촌 마을과 전혀 다르지 않을 것처럼 보이는 전북 남원시 산내면에서는 '이렇게 집을 구하기가 어렵다면 차라리 아파트라도 지어야 하는 것 아니냐'는 논의가 심심찮게 이어진다. 지리산 인근에서 벌어지는 수많은 실험 중에서 가장 오래되었고, 가장 성공적인 사회적 농업 실험이 진행되는 곳이 바로 산내면 실상사다. 통일신라 시대, 일본의 힘을 억누르기 위하여 이곳에 사찰을 세웠다는 전설 같은 이야기가 내려오는 곳이기도 하다. 불교 국가였던 고려가 망하자 조선의 건립을 인정하지 못한 승려들의 일부는 금강산으로 들어갔고, 또 다른 일부는 지리산으로 들어갔다는 얘기도 전해진다. 그들이 지금 '땡초'의 어원이 된 당취(黨聚)이다. 킬러들도 섞여 있는 비밀 조직이었다고 한다. 서산대사, 사명대사 같은 스님들의 정신적 기원도 당취에서 온 것으로 알고 있다. 실상사가 한국 생태 역사에서 중요한 위치를 차지하게 된 것은, 바로 이곳에서 인드라망이라고 하는 농업 네트워크 실험이 출발했기 때문이다. 절이 가지고 있던 땅을 인근 주민들에게 나누어 주면서 이곳에서 유기농업이 시작됐고, 그게 커지고 커져서 인드라망 생협과 불교 생협의 뿌리가 되었다.

'생명평화 삼보일배'를 기억하는가?

생명평화 운동이라는, 좀 고루해 보이기도 하는 사회 밑바닥의 흐름이 1990년대 초·중반을 거치면서 지리산 북서면, 전라북도의 어느 한 끄트머리에서 시작되었다. 결정적인 전기는 1998년 조계종 사태 때 실상사에서 생명평화 실험을 하던 도법 스님이 사태 해결의 전면에 나서게 되면서 마련됐다. 지금 식으로 말하면, 일종의 쿠데타 진압군의 대장 역할을 한 것인데, 불교 내 변방에 있던 생태주의 불교 계열이 단번에 주류 세력이 되는 순간이었다. 도법, 수경 같은 산내면에서 농사짓기와 마을 가꾸기를 하며 도 닦던 선승들이 이 사건을 계기로 조계종의 중요한 축이 됐다.

영화 〈반지의 제왕〉에는 생태적으로 살아가고 있는 호빗들의 마을 샤이어가 나온다. 산내면과 실상사를 보면, 정말로 샤이어가 연상된다. 원래는 암자에서 면벽하던 선승이었던 수경을 세속으로 불러내온 것은 지리산 댐 사건 때, 그의 친구였던 도법이었다. "지리산의 생명들이 다 죽는데, 너 혼자 득도하면 뭐 하겠느냐?"

수경이 누구인지 그 이름을 아는 사람은 별로 없겠지만, 그 얼굴은 아마 우리 모두 알 것이다. 촛불 집회가 한참일 때, 조계종 스님들이 승복을 펄럭이며 법회를 개최한 날이 있다. 그날 사회를 보면서 법회를 이끌었던 그 스님이 바로 수경이다. "아프냐, 나도 아프다." 라는 말은 유마경(維摩經)에서 나온 "중생이 아프니, 보살도 아프다." 라는 표현을 변형한 것이다. 수경이 삼보일배를 떠날 때 간단한 법문 하나를 풀어놓았는데 거기에서 유마경의 '주인공' 유마힐의 말이 튀어나왔다. 그리고 몇 년, 이제 우리는 유마힐이 했던 얘기를 종종 하곤 한다.

그렇다. 남원에서 시작해 전주를 축으로, 전라북도 곳곳으로 퍼져 나가던 전북 생명평화의 힘과 토호로 상징되는 토건 세력들이 결국 정면으로 부딪힌 것이 바로 새만금 삼보일배다. 기독교를 포함한 전북의 종교인들이 "이렇게 생명이 죽어가는 걸 그냥 보고 있을 수는 없다."며 오체투지의 전통을 이어받아 시작된 것이 삼보일배다. 전북의 토건과 전북 생명평화의 충돌이 새만금 사건 사회화 과정의 기본적인 요소이다. 그리고 우리나라 국민은 둘 중 하나의 입장을 가질 수밖에 없게 됐다. 샤이어의 호빗, 프로도 배긴스와 샘와이즈 갠지가 반지 원정대를 떠났듯 실상사의 수경 등이 새만금 원정대를 떠난 것 아닌가? 영화에서는 모르도르의 용암에 절대 반지가 떨어지고, 절대 악 사우론이 멸망한다. 그러나 현실에서는 새만금이 뉴타운이 되었고, 다시 4대강이 되었다. 그리고 새만금에서 생명평화를 외쳤던 사람들은 패배했고, 뿔뿔이 흩어졌고, 지금 어려운 시간들을 보내고 있다.

새만금 방조제 위에 올라서면 두 종류의 사람이 있다. "아, 장대하다, 대단하다." 그렇게 가슴 뭉클한 생각이 드는 사람, 우리나라 국민의 절반이다. 그리고 갯벌의 죽음에 가슴 아프고, 힘이면 다 된다는 인간의 탐욕에 가슴이 아픈 사람. 결국 모든 한국인은 두 종류로 나누어진다. 어느 편이든 이건 감성의 문제이고, 또한 미학의 문제이기도 하다. 꼬불꼬불하고 굽이쳐서 어쩐지 정돈되지 않은 원래 자연의 모습이 편안한 사람과 그걸 어떻게든 직선으로 펴놓아야 편안한 사람. 그렇게 두 개의 미학이 새만금 방조제 위에서 맹렬하게 부딪히고 있다. 독자 여러분들도, 자신이 어느 편인지 한 번 곰곰이 생각해 볼 기회를 가지시기 바란다.

새만금 개발, 서두를 필요 못 느끼는 박근혜 정부

경제라는 눈으로 본다면, 전주에는 두 가지 경제 유전자가 충돌한다. 새만금으로 상징되는 메갈로매니아(megalomania) 혹은 거대 남근 숭상주의가 하나의 힘이다. "'내 꺼'가 제일 커." 그게 박정희 시대부터 우리에게 각인된 뿌리 깊은 유전자가 아닌가 싶다. 양반들의 집 크기는 물론 반찬 개수까지 상한선을 정해 놓았던 조선의 역사는 그런 남근 숭상주의와는 거리가 좀 멀다. 그게 중화사상에 눌린 유교적 전통인지, 아니면 좀 더 적절한 규모를 찾으려는 생태적 지혜인지, 그 기원을 알기는 어렵다. 그러나 생태인류학의 길을 연 라파포의 '조상에게 바치는 돼지'라는 기념비적인 테제에서 나온 것처럼, 우리가 만든 조선의 문화는 생태적 조절이라는 메커니즘을 어떻게든 가지고 있었다. 그러나 유신 이후 우리는 '세계 최대', 그게 안 되면 '동양 최대'라고 해야 뭔가 하는 것 같았다. 만경강과 동진강의 합류로 생겨나는 서해안 최대의 기수역(汽水域)을 가로 막은 팔루스(phallus)를 보고 느끼는 감동에는 박정희에서 노태우로 이어지는 군인들의 남근주의와 여기에 기가 막히게 결합된 대형 건설사의 생존 방식이 숨어 있다. 도지사가 연달아 삭발하던 전주에서는 "내 꺼가 제일 커."라고 말하지 않으면 '도민의 자존심'이 무너진다고 생각하는 남근 숭상이 흐른다.

또 다른 경제 유전자는 좀 더 여성적이다. 생활협동조합에 대한 본격적인 연구를 시작하면서 제일 처음 방문했던 곳이 바로 전주였는데, 실제 모습에 가장 가깝게 생협 실험이 한참 진행되던 곳이었기 때문이다. 한국에서 생협의 메카와 같은 곳은 원주이다. 그러나 생협이 대도시에서 어떻게 시민 경제를 만들어 낼 수 있을까? 우리에게 해답의 단초를 제공한 곳은 전주였다. 초창기 친환경 급식이 처음으로 자리 잡은 곳은 제주도의 아라중학교였다고 기억한다. 그렇지만 로컬 푸드를 비롯해서 실제 응용 가능한 모델을 대규모로 만들어 볼 수 있는 곳은 전주였다. '슬로 시티'라는 표현을 쓴다면, 그린 다른 방식의 도시 모델이 가능한 곳도 이곳이다. 전주는 그런 가능성을 가지고 있고, 생명평화를 한국에서 끌고 나가는 지역 모델을 만들어 낼 수 있는 힘이 충분히 있는 곳이다.

두 개의 힘 중 어느 쪽이 강렬할 것인가? 민주당이 자기네 텃밭처럼 생각하는 곳이 전라북도이지만, 결국 토호들과 건설꾼들이 직간접적으로 시정과 도정을 장악하고 단단히 텃세 부리는 것은 한국의 다른 지역과 다를 바가 별로 없다. 새누리당에 4대강이 있다면, 전북의 민주당에는 새만금이 있다. 여기서 어떤 차이가 느껴지는가? 민주 토건이든 보수 토건이든, 토호 세력들 사이에 형질 차이는 없다.

지난 대선을 며칠 앞두고 국회는 새만금특별법에 대한 수정안을 긴급하게 통과시켰다. 한국에서 여야가 합의해 시기를 놓치지 않고 제때에 바로 만드는 법안은 토건 법안 정도이다. 정부 조직 개편은 대선이 끝나고 이긴 쪽에서 자기들 공약 체계와 철학에 맞추어 인수위에서 새로 논의하는 게 일반적인 일이다. 그러나 차관급이 수장이 되는 새만금개발청은 대선 전에 결정되고 법안도 통과됐다. 어차피 누가 되어도 새만금은 할 거 아니냐, 이게 법안을 주도하였던 새누리당 쪽 입장이었다. 이게 민주당의 딜레마이다. DJ도, 노무현 대통령도 이 문제를 풀지 못했다. 안철수 후보도 마찬가지다. 뭔가 좀 다른 방식으로 개발해야 한다는 정도를 새만금 방문 때 간략하게 이야기했을 뿐이다. IT 쪽에 맞춘 개발을 해야 하는 거 아니냐, 이런 식으로 나는 이해했다.

상식적인 눈으로 보면 이 과정이 정상적으로 보이지 않는다. 누군가 대통령이 되면, 그쪽에서 입장을 정해서 제도를 정비하든지 타협을 보든지, 그런 기회를 주는 게 맞을 듯싶다. 그렇지만 어쨌든 할 거 아니냐, 추진하는 쪽에서 그렇게 강행하고, 큰 선거를 앞두고 전북 민심의 이반을 염려하여 그냥 입 다물고 있던 형국이다. 어쨌든 새만금개발청 통과까지 정말로 '추진'하는 쪽에서 하고 싶은 대로 다 했다.

2008년 글로벌 금융 위기 이후 삼성과 현대를 보면서 이 사람들이 똑똑하거나 운이 좋거나, 하여간 남다르기는 하다는 생각을 한 적이 있다. 삼성은 위기를 느끼고 부동산 자산을 특별히 늘린 게 없다는 거고, 현대는 일관 제철에 투자하느라 부동산 구입할 돈이 없었다는 거고…… 누구도 피해가지 못했다고 하는 금융 위기에서 소위 초일류 기업들은 어쨌든 큰 피해 없이 넘어갔다. 그 후의 용산 개발을 보면서 정말 크게 느낀 게 있었다. 이미 하기로 한 건데 어떻게 안 해, 공무원들은 이렇게 말한다. 그런데 정말로 삼성은 용산 개발에서 발을 뺐다. 삼성이 발 빼는 거 보면서 뭔가 느끼지 못한 코레일이 답답하기만 했다.

인수위 이후 박근혜 정부가 새만금에서 면피 이상의 무언가를 하겠다고 특별히 결정하고 내놓은 것은 없다. 안 그래도 예산 없다고, 있는 거 없는 거 싹 긁어 쓸 수밖에 없는 것이 정부의 입장이다. 게다가 부동산 취득세도 줄여 주고 싶은데, 이건 지방자치단체 예산 중 가장 덩치가 큰 거라서 국토부 마음대로 할 수가 없다. 이런 상황에서 박근혜 정부가 죽어라고 새만금에 돈을 퍼붓거나 '립 서비스' 이상의 뭔가를 해 줄 이유가 뭐가 있겠는가? 연간 1,000억 원 내외, 이런저런 명목으로 중앙에서 내려가는 예산 규모 정도로, 더 할 것도 없고 덜 할 것도 없는, 그게 박근혜 정부의 새만금에 대한 입장으로 보인다. 삼성은? 벌써 발 뺐고.

'사회적 대통합' 민주당이 주도해 줬으면

그냥 이렇게 갯벌을 막아놓은 상황에서 5년도 넘게 시간만 또 그렇게 지나간다. 청계천이나 4대강처럼 새누리당이 무리해서라도 속도전을 벌일 이유가 전혀 없지 않은가? 지금까지도 사실 그렇게 진행됐다. 지난 정권에서는 4대강 하느라고 새만금에 들일 돈도, 이유도 없었고, 그건 앞으로도 그럴 것이다. 원래 총리실에서 계산할 때 전주 인근 폐기물 발생을 대대적으로 줄여도 4급수 수질 기준을 맞추기가 어렵다는 것이었다. 물 빠질 공간을 전혀 주지 않고 그냥 힘으로 밀어붙였다가 시화호처럼 대규모 수질오염 문제가 생기는 게 매번 청와대에서 진짜로 걱정하던 것 아니었는가?

결자해지라고 했다. 민주당이 중심이 되어서 새만금 문제에 대해 뭔가 사회적 대타협을 만들어 주면 정말로 대단히 고맙겠다. 갯벌 면적의 일부를 공단으로 조성하는 데는 찬성할 수 있다. 다만 그걸 위해서 갯벌을 전부 죽일 필요는 없으니까 방조제에 조금 더 해수 유통 설비를 확보해서 나머지 갯벌을 살리고 갈 수 있다. 그걸 우리는 '해수 유통안'이라고 부른다. 그리고 이런 논의를 통해 전주가 운용할 수 있는 친환경 농업 관련 투자와 슬로 시티를 위한 문화 예산 등을 대타협안에 올릴 수 있을 것이다. 이 정도 선에서는 생태근본주의자들도 양보할 마음의 준비가 되어 있는 것으로 알고 있다. 전북이 땅이 부족해서 경제적으로 발전을 못하는 것은 아니지 않은가? 지금처럼 서로 뭉개고 있으면, 박 대통령 임기 5년 또 아무 일도 없이 그냥 지나간다. 갯벌이 다 죽고 나면, 새만금이 되거나 말거나 아무도 관심을 갖지 않을 것이다.

"이건 이래서 안 되고, 저건 저래서 안 되고, 어렵쇼, 이건 내가 싫네?"

이게 지금 민주당이 가지고 있는 무기력증일 것이다. 최소한 새만금과 관련해서는 민주당 전북도 의원들이 해법 모색에 대한 결의만으로도 국가적 흐름을 주도할 수 있다. 어떤 해법이라도 좋으니, 새만금개발청에 전주의 미래를 맡기는 지금과 같은 방식으로 가지는 않았으면 좋겠다.

태안 : 화력으로 착취되는 도시

생태 운동에 몸담으면서 가장 슬펐던 사례를 안면도에서 보았다. 방사능 폐기물 처리장을 안면도에 설치하겠다는 결정이 나온 이후, 주민들은 찬반으로 갈라져 오랫동안 싸웠다. 10년 후 다시 그곳에 가 찬성 측은 물론이고 반대 측에 섰던 사람들의 삶이 피폐해진 것을 보았을 때, "반대 투쟁에 앞장섰던 최열은 잘 먹고 잘 살고 있지 않으냐?"는 힐난조의 얘기를 주민들에게 들었을 때, 정말로 나는 가슴이 찢어지는 듯한 느낌을 받았다. 물론 그 최열도 그 후에 감옥에 갔다. 환경, 생태, 이런 얘기를 하던 사람 중에서 영광을 본 사람은 극히 드물다. 마을 공동체가 산산이 조각나면서 주민들은 다시는 이전 삶으로 돌아가기 어려워진다. 갯벌, 골프장, 발전소, 그런 얘기가 나올 때마다 공동체가 하나씩 망가져 가고, 우리들의 삶은 더욱 피폐해진다.

가장 즐거운 사례는 강화도에서 보았다. 한전이 남동 갯벌 등 강화 갯벌에 발전소를 지으려고 할 때 주민들이 결국 막아 냈다. 어민들은 조그맣지만 자신이 직접 잡은 고기들을 팔 수 있는 작은 직판장을 가지게 되었고, 지역 주민들은 펜션을 운영하게 되었다. 이게 지역 발전을 가능하게 하는 완벽한 정답이라고 할 수는 없지만, 어쨌든 뭔가 지키려던 사람들이 불행하지 않게 된 경우는 강화도에서만 봤다.

화력발전소 40%가 태안반도에 몰려

서산·예산·당진·태안, 이곳을 우리는 흔히 태안반도라고 부른다. 만리포라는, 한국 사람이면 누구나 이름 정도는 알고 있는 해수욕장이 이곳을 상징한다. 백사장에서 낙조를 정면으로 볼 수 있어서 더욱 유명하다. 천수만에서 가로림만 인근까지 태안해안국립공원이 형성되어 있다. 이 정도면 뭔가 지켜 낼 생태나 자연이 있는 관광지처럼 생각하기 쉬울 것이다. 서해안 고속도로를 타면 서울에서 그렇게 멀지도 않다. 서해안, 갯벌, 바다, 국립공원, 이런 즐거운 조합을 보면 천혜의 자연환경 혹은 생태 도시 그런 말이 떠오르는 게 자연스러울 것이다. 그러나 나는 이곳을 피착취 도시 혹은 피착취 지역이라고 부른다. 우리나라 화력발전 즉 석탄을 사용하는 화력발전의 40%가량이 태안반도 인근에 집중되어 있다. 원전 한두 개 꺼져도 지금 한국은 잘 돌아가고 있다. 그러나 태안 지역의 화력발전소들이 정지하면, 말 그대로 대한민국이 정지한다.

왜 이렇게 특정 지역에 화력발전이 집중되어 있을까? 두말할 것도 없다. 서울에 가까이 있기 때문이 아닌가? 원거리 송전에 따른 전력 손실을 줄이기 위해서, 서울과 너무 멀리 떨어진 곳을 피하다 보니, 자연스럽게 태안 지역에 집중된 것이라고 볼 수 있지 않은가? 그것은 이 지역에 원전이 들어오지 않은 이유도 설명해 준다. 도쿄에서 가까운 후쿠시마에 원전을 건설한 일본 사람들은, 효율적인지 어떤지는 모르겠지만 사회 정의에 더 적합한 선택을 한 것이라고 볼 수 있다. 원자력 지지자들은 늘 원전이 안전하다고 말하고, 언제까지라도 자신들은 그 안전을 지켜 낼 수 있을 것이라고 말한다.

그런 논쟁을 할 때마다, 나는 국회의원들에게 그렇게 자신 있으면 여의도에 원전을 지으라고 말했다. 여의도에도 한강이 있어 물도 있고, 입지 조건이 불가능할 것은 없다. 규모만 좀 줄이면, 국회 옆 둔치에 원전을 지을 수 있다. 그랬더니 법이 그렇게 되어 있지 않다는 답변을 들었다. 법은 국회의원들이 고치는 것 아닌가? 태안에 원전이 본격적으로 들어오지 않은 이유는, 적어도 '서울 것들'이 보기에 태안에 있는 원전도 서울 입장에서는 안전하지 않다는 판단 때문이 아닌가? 안면도에 들어갈 수도 있었던 방폐장이 오랜 기간 표류와 방황을 거쳐 결국 경주로 갔다. 일본산 식품에 대해서, 과연 먹어도 괜찮은가 엄청나게 민감해 하는 많은 사람들에게 경주로 갔다는 방폐장은 어떤 의미일까? 아니 의미가 아니라 심경일 것이다.

태안 지역에 화력발전소가 들어가면서 지역 주민에게 뭔가 좋아진 점이 있을까? 입지로 보상받은 사람들이 일부 있을 것이다. 발전소 인근 주민들에게는 약간의 시설과 일자리가 제공됐다. 그렇지만 인근 지역 전체가 시달리게 되는 보건 문제와 환경 문제는 여전히 남는다. 예전에 비하면 탈황 설비는 어느 정도 갖추어져 있지만, 질소산화물에 대한 탈질 설비는 여전히 미흡하다. 그리고 미세 먼지 혹은 초미세 먼지 등 비산 분진을 뛰어넘는 신규 물질은 아직도 정확히 관리되지 못하고 있다.

앞으로가 더 문제다. 석탄도 무한한 자원이 아니라서 기술 개발에도 불구하고 미래에는 점점 더 열악한 석탄을 사용하게 될 것이다. 노천광이 무한한 것이 아니라서 다시 채굴을 시작할 것이고, 예전에는 경제적 가치가 없다고 버려두었던 석탄도 다시 사용하게 될 것이다. 발전소 인근의 환경 문제는 피하기 어렵지만, 태안처럼 한 곳에 집중시키는 것에 대해서는 다시 고민을 해 봐야 한다. 분산되어 좋을 것이 있고, 집중해서 좋을 것이 있는데, 화력발전소는 분산이 낫다. 원전의 경우는? 가슴에 손을 얹고 생각하면, 이건 좀 답변이 곤란하다. 어차피 완벽하게 안전한 원전이라는 것은 없다면, 차라리 집중시키고 나중에 그 지역을 '환경 포기 지역'으로 지정해서 시민들을 소개시키는 것이 낫지 않나, 환경 전문가들 사이에서는 그런 조심스러운 논의도 있다.

에너지·생태적으로 아무것도 하지 않는 서울

간단하게 생각해 보면, 태안반도의 화력발전소들이 발전하는 전기의 전량을 서울 시민들이 쓰고 있다고 보면 크게 틀리지 않는다. 전국 통합망으로 묶여서 누가 발전하고 누가 사용하는지, 그야말로 전력거래소에서도 잘 모를 정도로 전국 표준처럼 움직이지만, 발전량과 소비량에다 송전 거리를 생각해 보면 뻔하지 않은가? 적어도 전력, 그것도 화력발전이라는 측면에서 태안반도는 착취당하고 있다. 그들을 착취하는 자들은 바로 서울 시민들이다. 원래 서울이라는 도시 자체가 그렇게 만들어졌다. 북촌의 취사용 숯을 위해서 서울은 물론 경기도의 숲까지 다 베어졌다. 19세기 북촌의 기와집 유행에 정선의 나무들까지 베어 바치던 나라였다. 정선아리랑이 서울의 기와집 대들보용 나무를 베어서 뗏목으로 보내던 인부들을 통해 퍼져 나갔다는 거 아닌가.

서울은 에너지와 자원, 생태적으로 아무것도 하지 않고, 전국이 생태적으로 착취당하는 그 구조를 그대로 두고 우리는 조국 현대화라는 걸 맞이했다. 강원도는 서울에 홍수조절용 댐을 갖다 바쳤고, 경기도는 쓰레기 매립장을 갖다 바쳤다. 그리고 남해안에서 동해안을 잇는, 서울에서 가장 먼 지역에서는 원자력발전소를 바쳤고, 태안반도는 화력발전소를 갖다 바쳤다. 이 시스템이, 우리 스스로도 약간씩 자긍심을 가지고 '선진국'이라는 느낌을 갖는 지금, 여전히 유효한 것인가? 나는 태안반도에서 그 질문을 다시 해 보지 않을 수 없었다. 생태적인 의미의 착취, 그것이 정당한 것이고 정의로운 일인가? 물론 이 질문을 우리가 진지하게 해 볼 정도로 약간의 생태적 감수성이나 생태계적 논리만 가지고 있었어도 특정 지역에서 화력발전의 40%가량을 담당하는 일은 벌어지지 않았을 것이다. 그러나 조금 더 생각해 보자. 이것이 경제적으로 효율적인 일인가? 누군가는 착취당하고 누군가는 착취하는 것이 장기적인 효율성을 담보해 주는가? 미국은 노예제를 청산하고 나서야 비로소 비약적인 발전의 계기를 가지게 되었다.

지난 세기, 우리는 원전을 잔뜩 지어 놓고, 밤에 원자력 발전소에서 나오는 전기가 남아돈다고 심야 전기를 할인해서 쓰게 해 주었다. 그러고 나니 이제 심야 전기가 부족해서 다시 원전을 더 지어야 하는, 정말 바보 같은 일이 벌어진 것 아닌가? 사용하기 위해서가 아니라 송전하기 위해서 발전을 해야 하는 기상천외의 일이 벌어진 곳도 한국이다. 다른 발전소들을 자회사로 떼어 내고 송전만 한전에 남은 상황에서, 한전은 실적을 올려 인센티브를 받기 위해 죽어라 송전 시설을 건설하는 수밖에 없다. 원전에서 발전된 전기를 서울로 보내기 위한 장거리 송전망을 건설해야 한다는 것도, 곰곰 생각해 보면 결국 한전 간부들의 연봉을 올리기 위한 수단 이상은 아닐 수도 있다. 어지간한 전기는 태안의 화력발전소들이 다 서울로 보낼 수 있는데, 부산에서 무슨 전기를 서울로 보낼 필요가 있는가? 이렇게 송전 업자들에게 발전 시스템은 물론 국가 에너지 체계까지 다 휘둘리는 이 상황이 효율적인가?

반면, 이 모든 사태의 원착취자에 해당하는 서울에서는 어떤 일이 벌어지는가? 상징적으로 서울에 딱 하나 남아 있는 당인리 화력발전소도 문화 공간으로 바꾸고 철수한다. 덩더쿵 덩더쿵! 쓰기만 하고 생산은 하지 않는 도시. 적어도 생태적인 의미에서 서울처럼 기형적이며 기생적인 도시는 존재하지 않는다. 그러다 보니, 댐으로, 발전소로, 영문도 모르고 희생당하는 도시들이 생겨나는 것 아닌가? 그게 지역 발전이고 지역개발이라고 지금까지 포장됐다. 온갖 미사여구는 물론, 현실성과는 담 쌓은 숫자들이 경제성이라는 포장지를 덮어쓰고 있었다. 그러나 성경 구절처럼 일하지 않는 자, 먹지도 말라, 그런 식이라면 발전하지 않는 도시, 쓰지도 말라, 그렇게 되는 것 아닌가? 석유, 석탄도 언젠가는 고갈되고, 원전주의자들이 그렇게 청정한 미래 에너지라고 하는 우라늄도 결국은 고갈된다. 지금처럼 개도국들의 원전 건설이 늘어나면 우라늄의 고갈 속도는 더 빨라진다. 플루토늄도 마찬가지이다. 지속 가능한 도시 혹은 생태 도시에 대한 고민은 기본적으로는 환경 정의에 대한 고민이지만, 장기적으로는 시스템의 효율성과 생존 가능성에 대한 고민이기도 하다.

권역별 분산형 전력 체계가 필요한 까닭

일본은 전기회사를 분사하면서 지역별로 나누어 놓았다. 그래서 동경발전은 후쿠시마에 원전을 운영하게 된 것이다. 반면 원폭 피해 지역인 히로시마현을 관장하는 중국발전은 일본 전기회사 중 원전 비중이 가장 낮다. 우리나라는 분사를 하면서 회사의 수익성을 다 똑같이 맞추어 놓았다. 그래서 회사들이 가장 경제성이 좋았던 태안 지역의 화력발전소를 하나씩 가지게 된 것이고, 제주도의 시설들도 사이좋게 나누어 가졌다. 말만 동부, 서부, 그렇게 지역으로 되어 있지, 사실 그런 지역성은 이름에만 있는 게 우리나라 시스템이다. 만약 일본처럼 서울발전이 서울 지역의 발전을 담당하거나 혹은 지금보다는 비싼 가격에 사오게 되었다면, 딱 하나 남은 당인리 화력발전소 문을 닫는 일이 벌어졌겠는가?

기존의 송전 계통을 그냥 두더라도 부분적으로 분산형 전원 체계를 도입할 수 있다. 일정 규모 이상의 건물들은 자체 발전을 하게 만들고, LNG 발전소도 지역별로 더 늘릴 수 있다. 분당에도 LNG 발전소가 있다. 그런 식으로 권역별 관리를 시작하고, 분산 개념을 도입하지 않으면, 태안에서 보는 것 같은 발전소 지역 집중 문제는 풀기가 어렵다. 결국에는 원전을 늘려야 한다는, 원자력 지지자들의 힘에 온 국민이 끌려가게 된다. 이명박 정부의 녹색성장위원회라는 게 결국 원자력 홍보 기구, 딱 그거 아니었는가?

많은 지역의 경제문제는 풀뿌리 민주주의와 관계되어 있고, 지역 토호와의 갈등 속에서 어떻게 지역 리더들을 배출할 것인가, 그리고 사회적 경제를 어떻게 토착화시킬 것인가, 그런 것과 관련되어 있다. 그러나 생태적인 면에서 태안반도의 착취 문제는 태안이 자체적으로는 풀기가 어렵다. 기껏해야 화력발전소 건설을 둘러싼 주민 갈등만 더 강해질 뿐이다. 그들을 착취하는 서울이 바뀌어야 한다. 도시적 삶이라는 것을 우리는 그냥 로맨틱하고 푸근한 마음으로 느꼈다. 그러나 그걸 가능하게 하기 위해서는 누군가 고통당하고 일상이 난도질당하고 있다는 사실을 이제는 알아야 한다. 만약에 서울의 25개 구청별로 에너지 자립을 해야 한다, 이렇게 결정했다고 가정하

자. 당장에는 난리가 나겠지만, 그렇다고 해서 우리나라 경제가 나빠지겠는가? 오히려 내부의 효율성을 높이고, 유럽만큼 빠른 속도로 신기술이 개발되면서 기술 강국이 될 가능성이 더 높다. 1992년 의제21이 그런 거였고 기후변화협약도 그런 의미였는데, 우리나라에는 껍데기만 들어왔고 시스템의 근본에 대해서는 아직 한 번도 진지하게 고민해 본 적이 없다. 지역별 분산형 에너지 시스템, 그게 풀뿌리 민주주의와 토호 사이 싸움의 한 축에 들어가 있는 것이 옳다.

여름마다 수백만 명의 사람들이 안면도나 만리포 등 태안반도의 이곳저곳으로 놀러갈 것이다. 기왕 간 김에 근처의 화력발전소 한 군데 정도는 둘러보시기 바란다. 많은 발전소가 그렇듯이 인적 드문 곳을 찾다 보니 대부분 절경지에 들어가 있다. 남의 일이 아니다. 통합 그리드로 연결된 전국의 모든 콘센트는 전력거래소를 중심으로 전부 연결되어 있다. 착취당하는 도시 태안에 가시거든, 발전소 구경은 한 번씩 하시기를 바란다. 그래야 우리가 후쿠시마의 비극을 피해나갈 수 있다.

소록도 : '오동찬'과 공공 의료 모범 지역

조선대 치대를 졸업한 젊은 오동찬에게는 고민이 하나 있었다. 소록도에 공공 전문의로 발령받아 가게 되었는데, 어머니에게 설명할 길이 없었다. 크리스천인 오동찬은 졸업 즈음에 기도를 하던 중 '소록도에 가라'는 응답을 받았다. 그는 예전 소록도에서 봉사 활동을 한 적이 있다. 슈바이처를 꿈꾸는 젊은 의사가 약간의 의기와 호기심으로 소록도행을 결심한 자체는 놀라운 일이 아니다. 그렇지만 자신의 어머니에게 설명하는 것은 쉬운 일이 아니다.

"1년만 다녀오겠습니다."

젊은 의사 오동찬은 1년만이라고, 그렇게 어머니를 속이고 소록도에 치과의로 발령받게 된다. 국가공무원 신분이다. 1995년 일이다. 그렇게 소록도에 들어간 오동찬은 기대와 달리 자신을 냉담하게 대하는 환자들을 보면서 당황하게 된다. 어차피 잠시 머물고 떠날 사람, 정을 주지 않겠다는 환자들을 이해하지 못할 바도 아니다. 그들은 일제시대 때부터 그렇게 살았다. 법령이 바뀌어서 소록도가 환자들을 잡아 가두는 곳은 아니고, 그들 스스로 그 안에서 살 것인지 나갈 것인지 형식적으로는 선택할 수 있게 된 것이 박정희 시절이다. 그러나 그것은 법률과 제도일 뿐이고, 환자들, 그것도 고령의 환자들이 소록도 바깥에서 스스로 독립해서 살기는 쉽지 않다. 오랫동안 소록도에서 살았던 환자들은 잠시 머물다 갈 의사들에게 정을 주지 않는다. 당연한 것 아니겠는가?

일제 강점기의 소록도는 강제 노역과 폭력으로 얼룩진 수난과 고통의 땅이었다. 그러나 1916년 개원한 소록도 병원은 100년 가까운 세월이 흐르면서 공공 의료의 모범을 보여 주는 장소가 되었다.

그렇게 형식적으로만 소록도의 의사였던 오동찬에게 결정적인 순간이 찾아온다. 총각이었던 오동찬이 인근 마을을 방문했는데, 어차피 관사로 돌아가야 별일이 없어서 마을 사람들과 소박하기 그지없는 저녁 식사를 한 것이다. 당시 소록도 환자들은 경제활동으로 돼지를 사육했다. 현대 시설을 갖추지 못한 축산은 열악했다. 환자들도 축산 환경처럼 열악한 상황에서 살고 있었다. 젊은 의사 오동찬이 저녁 식사를 한 날은 바로 섬이 생기고 의사와 환자의 관계에 결정적 변화가 온 날이다. 다음날 오동찬을 만난 환자들이 모두 했던 이야기는, 자신들과 밥을 먹었던 젊은 의사의 결심!

다음은 오동찬의 이야기에서 클라이맥스로 올라가는, 보통은 3시퀀스라고 부르는 이야기의 전개 과정이다. 아니 그 전에, 잠시 어머니 이야기를 마저 해야 할 것 같다. "1년만 가 보겠습니다."라고 했던, 치대 나온 아들이 소록도에 그냥 눌러살고 있는데, 그냥 있으면 또 의사 어머니가 아니다. 결국 소록도에 내려와서 "애야, 집에 가자." 뭐 이러셨을 것 아닌가? 그 어머니에게도 임종의 순간이 왔다(슬픈 얘기지만, 우리 모두 맞게 될 순간의 이야기다). 어머님은 자신에게 엄청난 미안함을 느끼고 있을 아들에게 한마디를 남긴다.

"섬의 환자들을 어머니처럼 돌보거라."

오, 마이 갓! 데모대에 앞장서서 죽어간 아들을 대신하여 '찌라시'를 돌렸다는 전설 같은 막심 고리키의 『어머니』 이후로 이렇게 충격적이면서도 눈물겨운 어머니 이야기는 처음이었다. 오동찬의 어머니 이야기는 자식, 특히 아들에게 집착하는 우리 시대 어머니의 해방에 관한 이야기일 수도 있다. 혹은 마지막으로 눈을 감으면서 당신에 대한 미안함을 가지고 있을 아들의 불편함을 짊어지고 가신, 그래도 어머니, 그분의 얘기일 수도 있다.

하여간 이렇게 집안 문제를 갈등과 해소라는 그 풋풋한 구조로 마무리 지은 오동찬 이야기 전개 과정의 핵심은 질투에 관한 것이다. 오동찬의 얘기는 이어진다. 비로 그 유명한 구더기 얘기다. 한센병에 걸린 환자들은 통증을 잘 못 느낀다. 그래서 치과 환자들의 주 증상은 턱밑에 알을 깐 구더기 증상이었다. 수술에 들어가기 전, 일단 구더기부터 잡아내야 했다. 얼굴에 구더기가 살 정도면 얼마나 악취

가 심하겠는가? 그 상황까지 방치된 환자, 얼마나 관리가 엉망이었겠는가? 환자들의 구더기를 잡고, 뒤틀어진 턱과 관절을 수술하고, 틀니까지 해 넣는 것, 그게 치과의사 오동찬이 소록도에서 주로 했던 일이다.

그런데 그렇게 자신이 구더기를 잡아 줬던 환자들이 결국 불렀던 이름은 의사인 자신이 아니라 간호사! 그러면 간호사가 그들의 어깨를 부추기면서 산책을 나가고, 꽃구경을 시켜 준다. 간호사는 그렇게 통증에 시달린 환자들에게 잠시의 휴식을 만들어 준 것이다.

의사 오동찬은 그 상황을 회상하면서 우리에게 치료와 치유의 차이를 이야기한다. 그는 의사, 아니 전문의로서 치료를 하려 했지만, 당시 간호사는 치유를 하려 했던 것이었다는! 요즘 용어로 하면, 큐어(cure)와 힐링(healing)의 차이라고나 할까? 그 얘기를 열심히 하는 오동찬에게 내가 느낀 것은, 그러나 힐링과 같은 새콤 풋풋한 단어가 아니라 질투였다.

의사와 간호사의 경쟁은 그 후 본격화된다. 누가 더 섬에 오래 남을 것인가. 뭐 그런 젊은 사람들의 경쟁 이야기로 이어진다. 이 시점에서 나는 드디어 입에 침이 마르는 것을 느꼈고, 오동찬이 비로소 인간으로 보이기 시작했다. 그래, '질투는 나의 힘.'

"누가 이겼나요?"

편안한 목소리로 오동찬의 말이 이어진다.

"남기는, 제가 결국 섬에 남았지요."

순간, 나는 보지도 않은 장면들이 머릿속에 후루룩 지나가면서,

결국 섬을 떠나는 어느 간호사의 뒷모습 같은 게 찬란한 실루엣처럼 이어졌다.

"결국 이기셨나요? 그분은 어디로 가셨나요?"

참, 내가 하면서도 바보 같은 질문이라는 생각이 들었다.

"그가 지금의 아내가 되었어요. 싸우다 정들었죠."

두둥! 결혼? 그렇지, 젊은 남녀가 선의로 서로 경쟁을 하다가 그들이 가질 수 있는 유일한 아름답고도 논리적인 결론이, 결혼 아닌가? 이 기막힌 반전을 들으면서, 잠시 이 가능성에 대해 생각하지 못한 것에 뒤통수를 세게 맞은 느낌이 들었다. 누구보다도 사랑받던 의사와 간호사가 섬에서 결혼할 때, 환자들이 "이 여인 슬프게 하면 나한테 죽을 줄 알아." 그렇게 수백 번은 했을 법한 말들이 귀에서 스쳐 지나갔다. 질투, 그것을 뒤집으면 바로 사랑 아닌가?

한센병 극복 '한국 자본주의의 미담'

오동찬이 클라이맥스로 꼽은 것은 '900:1' 이야기다. 뭐, 그의 어머니나 결혼 이야기만큼 극적으로 들리지는 않았지만, 그는 이 얘기를 특히 좋아했다. 여러 가지 이유로 오동찬도 섬을 떠날 순간이 왔다고 생각하게 되었다. 그래서 기도의 응답으로 이곳에 온 것처럼, 다시 한 번 간절히 기도했다. 그러나 그가 섬을 떠날 생각을 한다는 얘기를 들은 900명의 환자들이 그가 떠나지 않게 해달라고 기도를 했다. 900:1의 기도, 그는 아직 섬을 떠나도 된다는 기도의 응답을 받지 못했다. 그래서 20년째 소록도를 지키고 있다.

만약 이 클라이맥스 자리에 900:1 같은, 영화 〈300〉 분위기 나는 그런 밑천 보이는 얘기가 아니라 기막힌 얘기를 넣을 수 있다면, 나는 틀림없이 소록도 영화를 기획하고 나섰을 것이다. 그러나 아직은, 클라이맥스가 밋밋하다.

소록도는 한국 공공 의료의 대표적 성공 사례이자, 한국 자본주의의 대표적 미담이 될 것이다. 아이로니컬하게도 그 시작은 군사정권의 성격을 가진 일본 총독부가 한센병 환자들을 강제로 생이별시키면서 잡아넣은 때부터다. 별 영문 없이 한국 자본주의가 시작된 것과 같다. 이청준의 『당신들의 천국』에서 보여준 원장과 환자 그리고 그 사이에서 기묘한 줄타기를 하는 장로의 얘기, 이게 우리가 아는 초기 소록도의 이야기다. 그나마도 나이가 많은 사람들이나 소록도에 대해 약간의 감정이 움직이지, 그야말로 요즘 젊은 것들, 조진웅식 발음으로, "알도 모태!"

인구 1만 명당 한 명이 한센병 환자이면 국제적으로 유병 국가로 분류된다. 한국에는 90여 곳의 정착지에 1만3,000명의 환자가 있고, 그들 모두 비전염성이다. 가장 어린 환자는 40세, 사실상 한국은 한센병 퇴치가 끝났다. 세계보건기구(WHO) 식 용어로는 한센병 사업 종료 지역이다. 지금 있는 환자들이 나이를 먹으면 이제 우리에게 '당신들의 천국'은 지나간 시절의 추억이 될 뿐, 사라진 질병이다.

소록도 병상 안쪽 깊은 곳에서 오동찬의 애인이라는 환자 한 분과 커피 한 잔을 마실 기회가 생겼다. 인천에서 소록도로 옮겨온 그녀는, 처음에 깊은 우울증으로 자살 기도도 했다고 한다. 소록도의 의사들이 회의 끝에 내린 결론은 '커피 투여', 저녁마다 가장 한가하게 된 의료부장 오동찬과 커피를 마시는 것. 그야말로 노하우가 필요한 결론이었다. 그녀는 조용필의 소록도 콘서트와 그에게 쓰고 있는 편지, 그리고 오동찬이 얼마나 괜찮은 의사인가를 두고 내가 쩔쩔 맬 정도로 많은 이야기를 풀어 냈다. 환자를 강제로 수용하는 국가 폭력과 치대를 나온 보건의의 풋풋한 삶이라는 양극단이 소록도를 형성하는 얘기들이다. 이제는 섬이 아니라 다리로 연결되어 육지처럼 된 소록도, 그 다리를 건너면서 나는 필연적으로 다시 공공 의료에 대한 질문을 하게 되었다.

소록도는 박 대통령의 방문을 기다린다

그렇다, 바로 홍준표 얘기다. 인도, 중국 등은 여전히 한센병 퇴치가 국가적으로 중요한 사업이고, 마치 우리가 1960~70년대까지 그랬듯이, 일부는 국가 시설에서 지내고 일부는 마을 한구석에서 집단으로 지낸다. 브라질 정도면 어느 정도 기본적인 국가 인프라 단계는 넘었을 듯싶은데, 오동찬의 설명으로는 인구의 10%가 한센병 환자라고 한다. 일본은 국가 위신을 생각해서 감추고는 있지만, 기본적으로는 습하고 더운 날씨라서 아직 퇴치 단계에 가지는 못했다고 한다. 우리가 일제와 군부독재 시절의 추억을 관광처럼 즐기면서 소록도를 방문하고 있지만, 한센병에 대해서만큼은 한국이 세계 최고의 모범 사례인 셈이다. 과연 국가가 이렇게 강제로 잡아들이는 게 옳은 것인가, 이 질문과 같은 무게로 다가오는 국가가 그들을 맡았으면 이 정도는 해 줘야 하는 것 아닌가, 하는 질문 두 개가 동시에 머리를 후벼 판다. 홍준표 식으로 했다면, 지금의 소록도 성공은 불가능했다.

홍준표 경남도지사는 '귀족 노조'를 얘기하며 진주의료원의 문을 닫기 위해 자신의 정치생명을 걸었다. 한센병을 극복한 한국의 공공 의료가 담당해야 할 다음 질문은 치매 등 간병인이 필요한 질환, 즉 개인이 도저히 어떻게 해 볼 수 없는 질환이다. 홍준표 식으로 얘기하면 한때 원장 대리를 했던 오동찬과 그의 동료들은 귀족 노조를 넘어, 국가의료원을 개인 병원처럼 활용한 흉악범들일지도 모른다. 한국의 공공 의료, 어디로 가야 하는가? 나는 소록도에서 그 방향을 본 듯싶다. 그 시작과 동기가 어찌 되었든, 오동찬 소록도 의료부장 같은 사람들이 최선을 다해서 치료든, 치유든 할 수 있게 해 주는 것, 그게 국가가 할 일 아닌가? 경영과 부채 그리고 사업성, 그런 것은 나 같은 경제학자 혹은 공무원에게 맡겨 주시라. 어떤 수를 쓰든, 오동찬 같은 사람들이 최선을 다해서 치료할 수 있는 행정적 여건을 만들어 낼 테니.

지난 대선 때, 소록도에서는 박근혜에게 몰표가 나왔다고 한다. 이희호 여사의 헬기 방문 정도로는 육영수 여사 때부터 소록도에 들인 박근혜 가문의 정성을 이길 수 없었나 보다. 이 기회에 소록도 환자들의 청원을 청와대에 전달해 드린다. 후보가 아니라 대통령 박근혜의 방문을 그들은 간절히 바라고 있었다. 부디 방문해 주시면 좋겠다. 바로 이 소록도에서 경제민주화의 한 축인 공공 의료의 출발점이 시작될 수 있을지도 모른다.

소록도, 한국 자본주의의 역사와 궤를 같이한다. 일본의 강점, 그리고 군사독재, 그 후에는 시장의 지배. 어쨌든 소록도에서 우리는 세계적 사례를 만들고, 일본도 하지 못한 한센병을 극복했다. 공공의료, 갈 길이 궁금하거든 소록도에 한 번씩 가 보시기 바란다. 그곳에 진주의료원 같은 공공 의료가 갈 길이 그려져 있다. 우린 아직 수많은 오동찬이 필요하다.

강남 : 수용 능력은 어디까지?

생태학에서 보통은 K라고 부르는 변수가 있다. 영어로는 carrying capacity, 우리말로는 환경 용량 혹은 수용 능력이라는 말로 번역된다. 간단히 말하면, 그 생태계에 얼마나 많은 개체군이 존재할 수 있느냐는 말이다. 이걸 식물과 동물 즉 생태계가 아니라 인간의 세계에 대한 은유로 가지고 오면 1차적으로는 총인구수 같은 게 된다. 가상적이지만 많은 사람들이 해 보고 싶었던 논의이기도 하다. 도대체 전 세계에는 몇 명이나 살 수 있느냐, 우리나라에는 몇 명까지 살 수 있느냐, 이런 얘기들이 된다. 맬서스 시절에는 농업의 결과물인 식량이 급격하게 늘기 어려울 것이므로 인구 증가에는 자연적으로 제약조건이 걸린다고 생각했다. 20세기 초반, 화학비료와 제초제가 공급되기 시작하면서, 이제는 식량 잉여가 문제가 되는 시대가 열렸다.

자본주의 시대, 사람과 자원은 돈을 따라 배분된다. 일자리가 있는 곳으로 사람이 모이는 것은 기본이다. 서울 강남 대치동 모델은 학원이 있는 곳으로 학생들이 모이고, 중산층 부모가 모든 것을 희생해서 움직인다는 모델이다. '다다익선', 한국의 강남을 지배하는 단 하나의 법칙이다. 강남이 원래는 계획도시였는데, 당시에 생각했던 적정인구를 넘어선 지 오래됐다. 도로는 포화되었고, 교통은 지옥이고, 녹지는 박제화된 작은 공원에 갇혔다. 그러면 보다 쾌적한 삶의 여건을 찾아 상류층부터 보다 넓은 곳으로 이동하는 것이 선진국의 일반적인 도시 발전 단계이다. 파리의 생제르망을 비롯해서 LA의 비벌리힐스 등 부유층의 집단 거주지는 도심에서 떨어진 곳에 형성되어 있다. 그런 점에서 강남은 특이하다. 이제는 잘사는 사람들이 강남을 떠날 때도 되었는데, 여전히 재건축하면서 더 높은 집적도로 생태적 수용 능력의 한계에 도전하는 듯하다.

서울시 어정쩡한 태도 재검토돼야

강남 3구로 표현되는, 그곳의 구청장들은 자신의 지역에 더 많은 시설과 인구를 유입하기 위해서 최선을 다할 수밖에 없다. 그건 이해되는 일이다. 그렇지만 그걸 전체적으로 조율해야 하는 서울시장의 관점에서, 보다 복합적인 수용 능력에 대한 고민을 하지 않을 수 없을 것 같다. 이렇게 개별 구 차원의 문제는 아니지만, 도시라는 관점에서 박정희 전 대통령은 명확하게 수용 능력이라는 관점을 가지고 있었다. 그게 구현된 게, 당시 개발도상국으로서는 이례적으로 그린벨트를 설정하였던 것이 아닌가? 그린벨트는 생태적이기도 하지만, 특정 지역이 비대해지는 것을 막으면서 자연스럽게 수용 능력의 한계를 넘어서지 않게 조율해 주는 기능도 한다.

제2롯데월드, 현대의 한전 본사 사옥 매입 등 최근 강남 일대에 있는 메가 사이트들의 특징은 사회적·생태적 수용 능력의 한계에 도전하는 사업이라는 점이다. 교통 정체, 대기오염, 지하수 안전성, 이런 것들이 그 지역의 수용 능력과 관련되어 있다. 단위 사업별로는 '별문제 없다'고 하더라도, 이런 것들을 전체적으로 집계하면 문제가 안 될 리가 없다. 다다익선과는 조금 다른, 균형과 조화 그리고 수용의 극대치, 이런 것들이 정책 목표에 탑재되어야 할 시점이 왔다. 이걸 넘어서면 어떤 일이 벌어질까? 생태학자인 제레드 다이아몬드의 『문명의 붕괴』를 참고하시면 좋을 것 같다. 이제 강남에는 다다익선 다음 단계의 전략에 대한 고민이 필요하다. 서울시의 어정쩡한 '문제 없다'는 접근법, 진지한 재검토가 필요한 시점이라고 본다.

3부 : 생태경제는 생명경제다

남자들이 바라보는 세계에서는 군대와 영토 그리고 무기, 이런 게 인접국끼리 관계를 생각할 때 제일 먼저 떠오르는 단어들이다. 지금 한·중·일 관계가 딱 그렇다. 지금처럼 민족주의 방식으로 접근하면 각국의 집권 세력들이 챙길 수 있는 정치적 이득이 있다. 강성 분위기를 조성하는 쪽이 더 큰 이득을 본다. 그렇지만 군사놀이 좋아하는 남자의 시선을 조금 벗어나면 보이는, 육아와 보건 같은 단어들은 우리가 인접국들과 같이 만들어야 할 장기적 협약 과제의 목록으로 우리들 눈에 들어오기 시작할 것이다.

1장 : 좋은 거 먹고, 재밌게 살자

언제부터인지, 매주 신문에 글을 쓰는 삶을 살고 있다. 처음 정기적으로 글을 쓰기 시작한 것은 〈서울신문〉의 '녹색세상'이라는 제목의 칼럼이었다. 그 다음에는 〈한겨레〉의 타블로이드판에 '명랑국토부'를 격주로 쓰게 되었다. 이제 와서 돌이켜 생각해 보면, 그 시절이 가장 재미있게 글을 썼던 것 같다. 나중에 〈경향신문〉에 칼럼을 연재하면서, 매주 글을 쓰게 되었다. 내가 부탁받은 글들은 대부분 환경이나 생태에 관한 것이었다.

'명랑국토부' 칼럼을 쓰던 2006년 6월, 당시 건설교통부를 '명랑국토부'로 이름이라도 바꾸자는 글을 쓴 적이 있었다. 건국할 때에는 부흥부라는 이름으로 시작된 이 부처는 1961년 경제기획원 산하의 국토건설청으로 출범하였다가, 이듬해인 1962년 건설부로 승격

된다. 그리고 오랫동안 건설부라는 이름을 가지고 있었다. 내가 국토라는 이름을 쓰기 시작한 것은, 환경운동연합에서 가장 활발하게 같이 일하던 곳이 국토생태국이었기 때문이다. 가장 오래된 이 시민단체에서 가장 좋아하던 사람들이 많이 있던 곳이 국토생태국이었기 때문에 〈한겨레〉에 연재를 하게 되면서, 이 이름을 가져다 쓴 것이다. 실제로 나는 그 당시에 환경운동연합의 어느 활동가와 결혼을 하였다. 그리고 그와의 사이에서 지금의 두 아들이 태어났다. 2주에 한 번씩, '명랑국토부'라는 이름으로 꽤 많은 글들을 썼다. 이 글들의 상당수는 첫 번째 칼럼집인 『명랑이 너희를 자유케 하리라』에 들어갔다.

내가 명랑국토부라는 이름을 사용하고, 또 당시 건설교통부 이름을 그렇게 바꾸자고 주장해서라고 얘기할 생각은 없다. 어쨌든 그로부터 1년 반 정도 지나, 실제로 건교부는 국토부, 정확히는 국토해양부로 이름을 바꾸었다. 물론 그렇게 이름이 바뀌었다고 해서, 내가 생각했던 그런 효과는 나타나지 않았다. 부처 이름을 바꾸자는 주장을 두 번 한 적이 있었는데, 공교롭게도 두 번 다 1~2년쯤 지나서 진짜로 이름이 바뀌었다. 지식경제부의 이름을 산업부라고 바꿔야 한다는 주장을 한 적도 있었는데, 정말로 공교롭게 그 얼마 뒤에 산업부, 정확히는 산업통상자원부로 이름이 바뀌었다. 그 사이에 정권이 두 번이 바뀌었는데, 하여간 내가 주장했던 이름들이 실제 부처 이름이 되었다. 물론 그렇다고 해서 그 내용까지 긍정적으로 바뀌는 것은 아직 보지 못했다.

국토부라는 아주 딱딱한 이름 앞에 '명랑'을 붙이고 왠지 마음 한 구석이 편안해지는 그 순간이 지금도 기억난다. 생태 혹은 환경이라는 이름을 달고, 누군가를 근엄하게 꾸짖는 그런 모습이 난 20대 때부터 그렇게 싫었다. 근엄하고 경건하고…… 그런 사람들에게는 꼭 토를 달고, 수염을 거꾸로 달아 주거나, 하다못해 연지곤지라도 찍어 주지 않으면 내 본성에 역행하는 것 같아서 아주 힘들었다. 내 기본 정서가 좀 이상한 건지도 모르겠다. 어쨌든 별것도 아닌 얘기를 하면서 엄청 폼을 잡고, 무게를 잡으면서 "너네는 반성해야 해." 하는 따위의 얘기를 들으면 하던 반성도 하기 싫어졌다.

그렇지만 생태라는 이름으로 글을 시작하면, "아, 잘 안 될 거야.", "아마도 우린 망할 거야." 혹은 "너네 다 나빠." 등등의 결론을 피하기가 어렵다. 객관적으로 본다면 "너네가 나쁘다." 아니면 "우린, 폭망이다." 이 두 가지 사이가 아닌 다른 곳에서 결론이 나오기 어려운 경우가 많다. 슬프거나 진지하거나……

'명랑'이라는 단어는, 이런 꽉 막힌 구조에서 유일한 탈출구 혹은 알리바이가 되어 주었다. 명랑이라는 단어를 사용하면서, 실제로 나는 더 명랑해졌고, 더 밝아졌다. 그리고 아주 약간이지만, 내 삶이 더 행복해졌다. "하루라도 웃기지 못하면 입에 혓바늘이 솟는다." 이 정도 경지까지에는 이르지 못했시만, 하루라도 파안하며 박장대소하지 않는 날은 거의 없어졌다. 웃기는 건 정말 어렵다. 나는 아직도 감히 그런 걸 하지는 못한다. 그렇지만 엄청난 근엄성으로, 그것도 아주 근면하게, 사람들의 얼굴을 굳어지게 만드는 그런 짓을 안 할 정도는 되었다고 자부한다.

칼 마르크스의 〈포이에르바하에 관한 테제〉라는 것이 있다. 거기에서 마르크스는 말한다.

"지금까지 철학자는 세계를 여러 가지로 해석했을 뿐이다. 그러나 가장 중요한 것은 그것을 변혁시키는 것이다."

내가 궁극의 경지로 생각하는 생태경제학의 테제는 다음과 같다.

"지금까지 철학자는 세계를 여러 가지로 해석했을 뿐이다. 그러나 가장 중요한 것은 사람을 웃기는 것이다."

새만금에서 4대강까지, 부안에서 경주 방폐장까지, 골프장에서 평창 동계 올림픽까지, 우리는 대체적으로 딱딱했고, 근엄했고, 때때로 아주 슬펐다. 환경운동연합의 최열 대표가 잘 한 것이 한 가지가 있다. 그가 그 단체의 사무총장으로 있던 시절, 그는 단식과 삭발을 안 하도록 했다. 어려운 일일수록, 좋은 거 먹고, 더 잘 먹고 해야 한다, 힘든 때일수록 더 단정하게 입고, 더 맵시를 내야 한다, 이게 그의 지론이었다. 어쨌든 그가 있던 시절에, 우리는 되도록 좋은 거 먹고, 나름대로는 재킷도 입고, 단정하게 하려고 노력했었다. 새만금과 함께 이 아름답던 전통이 깨지고 다시 삭발을 하고, 단식도 시작했다.

삭발하고 새만금 방조제에 올라 물대포를 맞았던 어느 여성 활동가, 나는 그 여인과 결혼했다. 내가 보았던 아내의 가장 아름다운 모습이 그때였다. 그렇지만 삭발을 한다고 해서, 문제가 풀리지는 않았다. 나중에는 전라도지사를 비롯한, 전라도의 높으신 분들도 다 삭발을 했다. 서로 회의하러 모였는데, 모두가 삭발을 해서 겉모습만으로는 누가 어느 편인지 도무지 알 수 없게 되었다. 삭발은 삭발을 낳고, 그 삭발은 다시 또 다른 삭발을 낳으리라……

그렇지만 여전히 생태를 주제로 글을 쓰면서 사람들을 겁주지 않고, 무섭게 하지 않고, 그리하여 절망하지 않게 하는 것은 어려운 일이다. 언젠가 그 경지에 내가 간다면, 그 공으로 바로 천국에 들어갈 수 있을 것 같다. "너는 너무 많은 사람들을 무섭게 했잖아." 아마 지금 죽으면 나는 바로 지옥행일 거라고 생각한다. 오죽하면 나에게 '공포 경제학자'라는 별명이 붙었겠나. 생태경제학에 관한 얘기를 가지고 사람들이 파안대소할 수 있는 글을 쓰는 것, 그게 내가 도달해 보고 싶은 궁극의 경지이다. "혼자만 명랑하면 무슨 재미?" 그렇게 느끼는 데까지는 왔다. 그렇지만 '같이 명랑', 이걸 위해서는 아직도 갈 길이 멀다.

50살이 내일모레인 지금, 나에게 생태경제학이 뭐냐고, 누군가 물으면 이렇게 답하겠다. "좋은 거 먹고, 재밌게 살자." 그런 얘기하는 경제학이요. 좋은 것을 먹는 것은, 오염되지 않은 생태계에서 자연과 연관되어 건강한 먹을거리를 지켜 내는 일과 같다. 재밌게 살자, 너무 가난하고 힘들고, 사회적 격차가 벌어지는 상황에서 어떻게 재밌게 살 수가 있겠는가? 적당한 풍요와 최소한의 여유, 이것이 내가 생각하는 경제학이다. 좋은 거 먹고 재밌게 살 수 있는 나라, 이게 지금 내가 생각하는 한국에서 생태경제학의 정의이다.

2장 : 생명경제, 걸림돌과 디딤돌

생태적 나라가 경제도 잘한다

스위스는 유럽 내에서 빈국으로 분류되던 나라였다. 알프스 산악 지대를 중심으로 사람들이 흩어져 살던 지역, 종교 탄압 등 정치적인 이유로 도망칠 수밖에 없던 사람들이나 사는 곳, 그게 유럽의 다른 나라들이 보는 스위스에 대한 인상이다.

교황청 수비대가 스위스 용병인 것도 그들이 더 신앙심이 투철해서가 아니라 자녀들을 먹여 살리기 위해서는 용병으로라도 나와야 할 만큼 가난한 사람이 스위스에 많았기 때문이다. 그래서 스위스 경제를 프랑스, 독일, 이탈리아 등 거대 경제권에 달려 있는 위성과 같다고 해서 위성 경제로 분석하던 시절도 있었다. 물론 그렇다고 해도 유신 경제가 한참이던 1970년대, 대한민국보다는 잘살았다.

박정희 정권 시절 우리가 가지고 있었던 스위스에 대한 느낌은 어떤 것이었을까? 일본 애니메이션 〈알프스 소녀 하이디〉를 통해서 만난 스위스가 거의 전부 아니었을까 싶다. 1년 중 절반 정도가 겨울이고, 농사지을 땅도, 시간도 부족한 나라, 그래서 농민들이 겨울에는 공장 일을 하지 않으면 먹고살 수가 없던 나라, 그게 바로 그 시절의 스위스였다.

그 농민들이 만들어 낸 게 세계에서 가장 비싼 값에 팔리고 있는 그 유명한 '스위스 시계'이다. 1960~70년대는 스위스 경제에도 좋은 시기였다. 부품 소재 공업 등 기술에 기반을 둔 제조업이 성과를 올리던 시기였다. 아인슈타인을 배출한 취리히 연방공과대학 같은 곳이 탄탄하게, 요즘 우리 식으로 말하자면 이른바 '창조 경제'를 끌고나갔다. 참고로 스위스 대학들의 연간 등록금은 70만 원 정도이다.

어쨌든 그때 한국 사람들에게 스위스라는 나라는, 저 멀리 있는 환상적인 나라, 우리와는 비교도 안 되게 잘 사는 나라, 소위 '선진국', 이런 나라로 받아들여졌을 것 같다. 그리고 1980~90년대를 거치면서 한국도 먹고살 만해졌다. 1970년대에는 스위스도 토건 한다면서 알프스에 스키장 엄청나게 지어 댔었다.

요즘은 알프스 협약을 통해서 생태 복원에 대한 고민을 하는 중이다. 2000년대 들어 한국도 먹고살 만해졌다고 골프장 엄청 지어 댔다. 두 나라가 형식적으로는 비슷한 과거를 공유하는지도 모른다. 한국은 보수들이 강한데, 스위스도 유럽 중에서는 가장 보수적인 나라이다. 우리도 이미 1948년 제헌 헌법 만들면서 여성들에게 참정권을 주었는데, 스위스는 그걸 1971년에 와서야 했다.

2013년 12월, 경찰 병력 5,500여 명이 수색영장도 없이 〈경향신문〉 사옥에 입주해 있는 민주노총 사무실 문을 부수고 들어가는 것으로 현 정권은 그해 연말을 장식했다. 그런 우리에게 모든 국민에게 월 300만 원씩 주는, 그런 기본 소득 안이 스위스에서 국민투표에 부쳐진다는 소식이 날아들었다. 만약 기본 소득 제도가 도입된다면 스위스 국내총생산(GDP)의 3분의 1 정도가 여기에 소요될 예정이다.

미국에서도 기본 소득 논의가 있기는 했는데, 알래스카에서 시범 실시하는 걸로 조용히 마무리된 적이 있다. 유럽의 기본 소득 논의는 이제 국민투표 단계로 올라갔다. 밀양 송전탑 사태, 이건 유럽 기준으로 보면 상상할 수 없는 일이다. 정책이 옳고 그르냐가 문제가 아니라, 이런 식으로 정부에서 강행하다가는 내각이 문을 닫게 된다. 내각제에서 연정 깨지면 바로 총리가 물러나야 한다. 노조 본부를 경찰이 이런 식으로 습격했다가는 연정이 위험해진다.

모든 국민에게 월 300만 원씩 주느니 마느니, 그런 격론이 벌어진 스위스를 보면서 1970년대 이후 스위스와 우리의 격차가 과연 줄어들었는가, 하는 생각이 들었다. 유럽 최초로 기본 소득 도입 여부를 논의하는 나라와 민영화가 격론의 대상이 된 나라. 같은 OECD 국가라고 하기에는 양상이 너무 다르다.

유신 시절에 본 스위스 그리고 박근혜 시절에 본 스위스, 더 밀어진 것인가 그래도 좀 따라잡은 것인가? 한 가지는 확실하다. 요즘은 생태적인 나라가 경제도 잘한다는 것이다. 그러나 역은 불확실하다.

4대강 같은 토건을 강행하는 나라라고 독재까지 할 필요는 없지 않은가?

결핍의 시대, 생태를 생각한다

1958년 미국의 경제학자 갈브레이드는 『풍요로운 사회』라는 제목의 책을 발간한다. 냉전이 시대를 받치는 밑동으로 자리를 잡고 있던 이 시기, 인류는 대중들이 풍요 속에서 살아가는 것을 목격하게 된다. 중산층 가정에 세탁기가 보급되고, 스테레오를 집집마다 가지게 된다. 음반을 통해 음악을 아무 때나 들을 수 있게 되면서 원하는 때 언제든지 음악을 틀어 놓고 춤을 출 수 있게 되었다.

영화 〈디어 헌터〉는 1968년 베트남전이 한창일 때 참전으로 피폐해진 미국 노동자들에 관한 이야기이다. 이 영화를 처음 봤을 때, 나는 영화 이야기보다 기껏해야 제철소에 다니는 20대 노동자들의 삶의 질을 보고 놀랐다. 그들은 휴가를 내서 세단을 타고 라이플을 들고 사슴 사냥을 하는 것을 취미로 가지고 있었다. 1980년대 대학 시절, 나에게는 문화적 충격이었다. 나는 지금으로부터 20여 년 전인 1990년대에 현대자동차 공장에 업무를 보러 들어간 적이 좀 있었다. 그 당시 이미 우리의 노동자들도 어지간하면 승용차를 한 대씩 가지고 있는 상황이었다.

이 풍요의 시대, 생태에 관한 고민들이 본격적이고 대중적으로 터져 나오기 시작했다. '대량 생산, 대량 소비'와 함께 생태적 문제들이 여기저기서 쏟아져 나왔고, 1970년대 두 차례에 걸친 석유파동은 인류의 미래에 대해 고민하게 하는 결정적 계기가 되었다. 에너지와 생태 관련된 중요한 논문들은 이 시절에 많이 나왔다. 공장에서 대량으로 생산하고, 중산층이 대량으로 소비하는 이 시대, 과연 우리의 미래는 무엇일까? 내가 공부한 이론들의 기본적 틀은 이 시기에 형성된 것들이다.

그리고 이제 2015년. 2010년대도 절반을 지나 후반으로 가는 시점이다. 명목적인 국민소득은 높아졌을지 몰라도, '풍요'가 우리의 특징은 아닌 시대가 되었다. 오히려 이 시대, 우리는 '결핍'에 대해 얘기하는 것이 더 자연스러워졌다. 한국의 20대, 이제 뭐가 없다, 뭘 못한다, 그렇게 규정하는 것은 상식이 되었다. 일본은 더하다. '사토리' 세대, 소위 득도한 세대로 불린다. 사토리는 깨달음, 득도라는 뜻을 가진 일본 말이다. 연애, 자동차, 이런 게 없는 것은 기본이고, 여행도 하지 않는다. 거의 득도의 반열이다.

그뿐이 아니다. 60~70대는 그 나이에 맞게 다양한 결핍을 호소하고, 50대는 '베이비 부머'라며 죽겠다고 난리이다. 공동체는 붕괴

되고, 개인의 삶은 파편화되었는데, 그걸 막아 줄 경제적 자산은 얄팍하다 못해 적자투성이가 되었다. 지금 우리에게 펼쳐지고 있는 이 찬란한 시대의 모습은 '궁핍'이 그 특징 아닌가?

그렇다면 이 시대에 생태주의는 무엇일까? 풍요의 시대, '자발적 가난'을 생태적 삶의 방식으로 생각하는 시절이 있었다. 그런데 이제는 보편적 가난, 평균적 결핍의 시대를 맞고 있다. 그렇다면 풍요의 시대와 반대로, 우리는 더 생태적인 삶이 되어가고 있는가? 안타깝게도 그렇게 볼 근거는 별로 없다. 이미지로서의 생태를 제외한다면, 4대강과 같은 기본적 토건은 마찬가지이고, 에너지 정책의 근본적 전환도 아직 우리의 현실과는 거리가 멀다.

풍요의 시대에도 반생태, 결핍의 시대에도 반생태, 과연 우리의 미래는 어디에 있을까? 인간이란 존재, 아니 한국인이란 존재는 과연 물질적으론 결핍됐어도 영혼만은 풍요로울 수 있는 존재일까? 이런 삐딱한 질문을 한 번 던져본다. 강요된 결핍에서 우리가 찾아가야 할 다음 길은 무엇일까?

4대강 '괴물', 65조 원과 정치 비용

관동대 박창근 교수의 계산을 보면서 가슴이 답답해졌다. 박근혜 정부 5년간 4대강 사업 이후 생긴 부작용으로 들어갔거나 들어갈 것으로 예상되는 돈이 65조 원이라는 것이다. 주로 큰 비용은 환경부와 국토교통부의 사업에서 발생한다. 4대강으로 인해 생겨난 하천 수질 개선 사업으로 환경부가 박근혜 정부 5년간 20조 원을 쓰게 된다. 그리고 4대강 사업 이후에도 오히려 더 커질 수밖에 없는 하천 정비 사업으로 앞으로도 20조 원을 쓰게 된다는 것이다. 박창근 교수의 계산에는 직접적으로 돈이 왔다 갔다 하지는 않지만 가상적 가치인 훼손된 습지의 경제적 기능에 관한 돈, 6조 원 정도도 포함돼 있다.

자, 이 돈을 들이지 않기 위해서는 어떻게 해야 하느냐? 대한하천

학회의 계산에 의하면 합천보를 없애는 데에 가물막이 공사비, 공사 도로와 폐기물 운반 처리 비용을 포함해 126억 원이 들어간다. 보 구조의 특징상 철거는 폭파 방식을 선택한 것으로 가정했다. 그리고 이 기준을 전체 16개 보에 적용하면 총비용은 2,016억 원이 나온다.

이 두 가지 숫자가 말해 주는 의미를 간단히 요약하면, 이제라도 4대강 보를 철거하면 공사비로 2,016억 원이 들어가고, 그냥 지금처럼 뭉개고 있으면 향후 수년간 65조 원이 들어가게 된다는 말이다. 두 수치 중 하나를 선택하라, 이게 박창근 교수가 우리에게 던져 준 숫자의 대략적인 의미일 것이다.

내가 진짜 답답해진 이유는 이 65조 원도 과소 계산되었을 가능성이 있다는 점 때문이다. 수자원공사는 토건을 또 다른 토건으로 덮는 방식을 사용했다. 그래서 4대강 인근에 대규모 아파트 등 시설물을 짓고 여기서 남는 돈으로 적자를 조금이라도 메우려는 시도를 하고 있다. 물론 성공은 불투명하다. 안 그래도 지금 아파트는 물론 여러 가지 시설물이 남아돌고, 너무 많이 짓는다며, 정부조차도 민간 건설 분야를 걱정하고 있는 실정이다. 4대강 수변 지역 개발이라는 이름으로 수자원공사가 또 무리한 일을 벌이고 있다. 부산 지역의 에코델타시티 사업 하나에서만 수자원공사가 새롭게 떠안게 될 빚이 수조 원이라는 지적이 이미 나오고 있다. 이런 걸 계산하면 박창근 교수의 65조 원도 최소치라고 할 수 있다. 여기에 부수적으로 4대강 유역의 오래된 농지가 사라지게 생긴 농업 분야에서의 피해를 추가하면 4대강의 폐해로 우리 국민들이 부담을 질 비용은 더 늘어날 것이다.

시간을 가지고 좀 더 면밀하게 계산해 보면 박창근 교수가 계산한 65조 원에서 수치가 변하기는 하겠지만, 내려가지는 않을 것 같다. 이 정도면 경제학에서 늘 사용하는 비용편익분석은 해 보나 마나다. 이렇게 두 개의 수치가 명확하게 반대 방향에 있을 때, 우리가 받게 되는 피해액은 '의사 결정 비용'이라고 보는 게 맞을 것이다. 의사 결정 비용은 이쪽이든 저쪽이든 의사 결정을 할 수 없어서 발생하는 비용을 말한다. 좀 더 크게 보면 여당이든 야당이든 정치 실패가 가지고 온 정치 비용이라고 볼 수도 있다. 지금부터라도 여당도 국가를 위해 판단하고, 야당도 좀 더 체계적으로 움직인다면 줄일 수 있는 비용이 65조 원 이상이라는 것 아닌가?

김무성의 새누리당에 한마디만 해 주고 싶다. 결자해지! 이 문제를 여당이 순리대로 푼다면, 여당 전성시대가 온다 해도 박수쳐 줄 것이다. 이런 복잡하고 기묘한 문제를 푸는 게 여당의 진짜 실력을 보이는 길이 아닐까 싶다.

서울 경전철, 10㎞에 1조 원씩?

박원순 서울시장이 직접 나서서 발표한 서울 경전철 건설 계획에서 아주 기가 막힌 숫자가 하나 튀어나왔다. 9개 신설, 1개 연장, 총 10개 노선 85.41㎞에 총비용 8조5,000억 원. 간단히 생각하면 10㎞ 건설에 1조 원씩, 즉 1㎞에 1,000억 원씩의 돈이 들어가게 된다. 이명박 정부에서 대운하를 둔갑시킨 4대강 사업에 22조원을 쏟아 부은 이후로, 이제 사람들은 몇 조가 들어간다고 해도 아무런 감흥이 없는 듯하다. 그리고 박 시장은 이게 대중교통을 위한 일이라고 말했다. 일부 자신의 집 앞으로 경전철 노선이 지나가는 사람들은 찬성하는 상황이다.

자, 이 사안을 놓고 우리 한번 곰곰이 생각해 보자. 박 시장의 이번 결정은 과연 두 손 들고 찬성할 일인가? 왜 그랬는지, 어쨌든 고

노무현 전 대통령은 자신의 모든 것을 걸고 한미 FTA를 추진했다. 그 이후로 소위 민주 세력이라고 스스로를 불렀던 사람들은 두 번 연속 집권에 실패했다. 시간을 돌려놓고, 지금의 결과를 보면서 한미 FTA와 동시다발적 FTA에 대해서 다시 한 번 판단해 보시라. 그러면 어떨까? 박원순의 이번 경전철 계획 발표를 보면서 '데자뷰', 마치 한미 FTA 협상 추진을 처음 발표하던 그 순간을 보는 듯싶었다. 정책을 놓고 핵심 지지층이 갈리게 되었다.

공은 공이고, 과는 과다. 서울시장 시절 이명박 전 대통령이 추진한 것은 버스 중앙 차선제와 지하철, 버스를 연계시키기 위한 버스 준공영제이다. 그리고 이 모델은 친환경 생태 도시로 세계적으로 유명해진 브라질의 쿠리치바에서 가지고 온 것이었다. 준공영제도 잘 한 것이고, 중앙 차선도 잘 한 것이다. 잘못한 것은, 중앙 차선을 실시하면서 버스 요금을 엄청나게 낮추는 일이 벌어졌어야 했는데, 오히려 버스비는 올라갔다는 것이다. 또 하나 아쉬운 것은, 기왕에 준공영제까지 갔으면 완전 공영제를 할 수도 있었는데, 그는 그렇게 하지는 않았다.

쿠리치바에서도 지금 우리와 같이 지하철 건설에 대한 논쟁이 있었다. 결국 지하철처럼 버스도 막히지 않게 갈 수 있도록 중앙 차선을 놓는 대신, 지하철 건설비를 버스 요금 할인에 사용하였다. 그게 쿠리치바의 교훈이다. 지금과 같이 앞으로 10조 원을 들여서 경전철을 놓을 것인가, 아니면 그 돈을 시민, 특히 가난한 시민들에게 건설이 아니라 교통비 형태로 지원할 것인가, 바로 이 질문 앞에 우리가

서 있는 것이다. 시민운동의 대부라고 할 수 있는 박원순 시장이 이 쿠리치바의 사례를 모를 리가 없지 않은가? 그가 이제는 변했거나, 아니면 재선을 눈앞에 두고 토건 쪽 표를 위해서 눈을 질끈 감았거나, 그 어느 쪽도 그를 통해서 구현하고 싶었던 '복지 도시 서울'을 지지했던 사람들에게는 가슴이 찢어질 듯한 아픔이다.

대중교통 강화, 이건 격자형 도로로 전국 도로에 수십조 원을 국토부가 쏟아 부을 때에도, 결국 비둘기호 등 가난한 사람들이 주로 이용하는 기차 편을 없앨 것이면서도 KTX를 무리하게 강행할 때에도 똑같이 나온 말이다. 국토부가 하든 박원순이 하든, 토건은 토건이고 야합은 야합이다. 경전철 계획, 잠시 보류하고 버스 완전 공영제에 대한 검토를 하는 것이 쿠리치바가 걸어갔던 길이다. 경제 위기 10년, 서울도 땅만 파고 있다가는 우리 모두 결국 망한다.

원전, 안전하다면 국회 앞에 만들라

"원전 폭발을 영화에 넣으면 결국 방사능 유출 얘기로 넘어가고, 그럼 아무리 영화지만 문제가 이만저만이 아니잖아요. 도저히 끝맺음이 안 되니까. 원전이란 게 쉽게 가동이 중단되는 게 아니고 또 중단되면 다시 가동하는 것도 쉽지 않다더군요."(2011 · 3 · 17, 〈국민일보〉 윤제균 감독 인터뷰 중)

관객 천만 명 영화 가운데 하나로 당당히 이름을 올린 〈해운대〉는 참 좋은 영화라고 생각한다. 인간의 욕망 위에 세워 올린 탐욕이 얼마나 허망한 것인가, 그런 메시지에 가슴이 찡했다. 원래 이 영화의 시나리오를 검토할 당시에는 고리 원자력발전소가 위험에 빠지는 얘기가 포함되어 있었다. 그러나 감독이 밝히고 있듯이 스토리가 너무 복잡해져 마무리 짓기가 쉽지 않아서 빠졌다고 들었다. 그러나 영화의 설정대로 해운대의 고층 주상 복합의 꼭대기 층도 안전하지 못할 정도의 쓰나미가 온다면? 그렇다면 고리 원전은? 이 질문은 필연적이다.

세상에 인간이 하는 일 중에서 절대적으로 안전한 것은 없다. 부품과 제어장치의 숫자가 많아질수록, 그리고 그 장치가 다루고 있는 에너지의 밀도가 높을수록 위험은 점점 높아진다. 세월호의 참사를 겪고 '절대로 안전합니다.'라는 말은 믿을 수가 없게 됐다. 더욱이 크로스체크 없이 같은 업종에 종사하는 선후배 혹은 동업자들끼리 보증해 준 것은 무의미하다는 사실을 이제 우리 모두가 알게 됐다.

원자력과 관련해 일본과 한국이 보여 준 태도에는 결정적인 차이가 있다. 최소한 원전과 관련해 수도인 서울은 절대 안전 지역이지만, 일본은 그렇게 하지 않았다. 후쿠시마와 도쿄 사이의 거리가 대략 250*km* 정도인데, 서울에서 이 거리 내에 원전은 없다. 공교롭게도 한국의 원전은 지리상 서울과 가장 먼 대척점들에 세워져 있다. 나는 정말 그렇게 안전하다면 국회 앞인 여의도에 원전을 지으라고 얘기하고는 했다. 정말이지, 국회 앞에서 원전을 운영하면서 국회의원들이 "이건 절대적으로 안전하다."고 말하면, 나도 믿을 수 있겠다.

그렇게 안전에 자신감을 가지고 있는 일본에서도 원자력발전소를 건설하지 못하고 있는 곳이 있다. 그건 히로시마. 바로 원폭의 피해지 중 하나이다. 히로시마 지역의 전기를 관장하는 곳은 바로 그 지역의 지역 이름을 딴 중국발전인데, 원폭 피해지인 이곳에 원자력

발전소를 짓는다는 것에 대한 대중적 반감을 넘어서지 못하고 있다. 일본의 지역 발전사 중 원전 비중이 가장 낮은 곳이 바로 중국발전이다. 도쿄발전 등 지역별로 분사하면서 민영화된 이후에도 히로시마에 원전을 설치하지는 못했다.

원전이 가지고 있는 가장 큰 어려움 중 하나는, 수명이 끝난 발전소는 그 자체로 거대한 폐기물이 된다는 것이다. 안전하게 원자로를 해체하기도 어렵고, 그 많은 폐기물을 처리할 곳도 마땅치 않다. 어쩔 수 없이 그 지역은 영구 폐쇄될 가능성이 높다. 게다가 의사 결정권자들이 이미 원전이 설치된 지역은 일단 포기할 지역으로 생각하니, 그 지역에 점점 더 많은 원전을 설치하게 된다. 이게 딱 우리의 형편이다. 노후 원전의 수명 연장과 계속되는 증설, 이게 과연 옳은 것인가? 특히 특정 지역에 이렇게 집중시키는 것이 안전한 것인가? 다시 한 번 생각해 보아야 한다. 국민들이 돈을 더 내고 조금씩 노력하면 이러한 위험은 상당히 줄일 수 있다.

온 국민을 '쌀 바보'로 만든 규제완화

편안하게 얘기해 보자. 아기의 이유식을 위해서 최선을 다하는 나는 결국 이기주의적 아빠다. 돈이 좀 더 들더라도 나의 아기는 유아식 때부터 우리 쌀을 먹이려고 했다. 아기가 먹으면 얼마나 많이 먹겠나, 하는 생각에 돈은 좀 더 들더라도 유기농으로 먹이고, 그나마도 좀 더 믿을 수 있는 사람의 쌀을 먹이려고 했었다. 두 돌이 아직 안 된 나의 아기는 그렇게 좋은 쌀만 먹었다. 아비는 생태주의자이다. 생태와 유기농을 얘기하는 아비를 둔 이유로 오이 하나, 호박 하나, 자기 아비와 친구인 농민들이 정성으로 키운 것들을 먹고 살았다. 아비의 사랑이다. 다른 건 몰라도, 내 아이가 먹는 것은 내가 키웠거나 내가 믿을 수 있는 사람이 키웠거나, 그렇게 먹게 했다. 물론 중간 중간 설탕 많이 들어간 산업용 음식을 먹기는 했다. 사람 사는 게 원래 그렇지.

이런 나에게 "택도 없는 가짜 쌀들이 나돌고 있으니, 네가 좀 공론화시켜 보라."는 얘기가 주변에서 나오기 시작했다. 경기미로 외형을 두르고 있지만 사실상 외국 쌀인 거, 그것의 속사정을 좀 얘기해 보자. 겉은 경기미인데 사실은 외국 쌀인 거? 그게 가능한가?

알아보니, 가능할 뿐 아니라 이미 벌어진 일이었다. 재수 없게 '이천농산'이라는 곳의 '기찬 진미쌀'이 걸렸다. 국내산 쌀, 정확히는 찹쌀 5%, 그리고 나머지 95%는 미국산 캘로스 쌀, 그거다. 자, 그럼 이건 불법인가? 아주 작은 스티커에 조그맣게, 두 쌀의 혼합 비율은 물론 캘로스 쌀이 대부분이라는 것도 적어놓고 있었다. 하여간 불법은 아니다.

그리하여 나도 지난 주말에 몇 개의 대형마트 쌀 매장에 직접 나가서 둘러보았다. 먼저 물었다.

"여기 외국 쌀도 파나요?"
"그럴 리가요. 우리는 외국 쌀 안 팔아요."

그러고 돌아보았다. 나의 결론은, 대형마트의 가판대 앞에 놓인 쌀 중의 절반은 어쨌든 진짜 경기미 등 믿을 만한 브랜드 쌀이고, 나머지 절반은, 믿지 못하겠다는 것이다. 전부 ××경기미 등 포장은 화려하지만, 그들 중에 '단일미'가 일부를 차지하고, 그 옆에는 '혼합미'가 있다. 혼합미? 섞은 쌀이라는 말 아니겠는가? 대형마트에서 팔리는 쌀 절반은 "나는 혼합미입니다."라며 자신을 소개하고 있다.

2009년 이후로 쌀에도 규제 완화가 진행되었다. 오래된 쌀을 새 쌀에 섞어도 되고, 수입된 쌀을 섞어도 된다는 게 규제 완화의 속내다. 이게 말이 되느냐고? 가장 최근의 규정, 양곡관리법의 시행규칙 중의 세부 사항, 별표 4까지 찾아보자.

"1-4-나. 품종 명을 모르는 경우에는 '혼합'으로 표시." 하나 더.
"1-7-나. 등급 검사를 하지 않은 경우에는 '미검사'로 표시."

슈퍼에서 쌀을 살 때 여러분들, 쌀 봉투에서 확인해 보시라. 혼합미와 미검사, 그게 얼마나 많이 있는지. 혼합미, 재수 좋으면 오래된 쌀, 아니면 수입 쌀이다. 지난 정부에서 시행한 쌀의 규제 완화가 우리 모두를 바보로 만든 것 아닌가. 혼합미 그리고 미검사, 이 두 단어는 결국 세월호와 동의어인 것 같다. 혼합미, 미검사, 이 두 단어를 모르면 결국 속게 된다. 농업 당국이 규제 완화로 우리를 바보 취급했다.

학교 급식과 신토불이의 오류

문용린 서울시 교육감 시절, 서울시 교육청은 학부모를 대상으로 한 학교 급식 모니터 요원 연수 자료집에 '농약은 과학'이라는 내용을 포함했다. 이런 사실이 알려지면서 요즘 엄마들의 마음이 뒤숭숭하다. 때마침 친환경 급식 의무 사용 비율을 더 낮추라는 결정이 있었고, 그와 동시에 학교에서 집단 식중독 사건이 발생했다.

큰 눈으로 보면, 무상 급식과 친환경 급식과 같은, 학생들에게 무엇을 어떻게 먹일지 우리가 집단적으로 고민하던 시절이 끝났다는 얘기와도 같다. 대선 공약에 학교 앞 불량 식품이 4대악으로 등장했던 그 시기가 사실상 농업과 식품 그리고 교육에 대해서 사회적으로 고민하던 마지막 순간이 아닐까 싶다. 공교롭게도 학교 앞에도 관광호텔을 설치하게 해 주겠다는 대통령의 규제 개혁이 거의 동시에 벌어졌다.

규제는 악이고 암 덩어리라고 생각하는 입장에서 식재료 안전에 대한 고민이 얼마나 밉겠는가. 음식이야말로 '값싸고 질 좋은'이라는 말이 통하지 않는 특수 영역인데, 학교 앞 관광호텔이 청년 일자리라고 생각하는 쪽에서 '농약은 과학'이라고 하는 주장은 너무도 자연스럽다.

김영삼 전 대통령 시절, WTO에 가입하면서 한국 농업계의 반발이 거셌다. 그 반발을 무마하기 위해서 당시 정권은 시설농, 기계농을 권장했고, 거기에 필요한 돈을 융자 형식으로 농민들에게 빌려주었다. 이 흐름을 정당화하기 위해서 사용된 말이 신토불이이다. 몸과 땅이 두 개가 아니라는 이 말은, 국수적인 애국주의에 호소하는 말이다. 만약 이 시기에 다른 선진국이 WTO 대응으로 추진한 친환경 농업을 정책 차원에서 강화시켰다면 한국 농업도 전개 과정이 전혀 달랐을 것이지만, 어쨌든 신토불이라, 우리 것이니까 먹어 주자, 이런 캠페인이 전개되었다.

친환경이라는 패러다임이 농업에 도입된 것은 김대중 대통령 시절의 일이다. 지금 와서 회상하면, DJ가 환경이나 생태에 엄청난 관심이 있어서라기보다는 목포 출신 농림부 장관이었던 김성훈이라는 걸출한 농학자가 있었기 때문에 가능한 일이었다. 현장에서 신토불이라는 말은 화학 농법을 동원한 농약 농업을 의미했고, 친환경 농업은 현실성이 없는 이상주의적 발상에 불과했다. 그냥 이 땅에서 난 거면 되지, 거기에 농약을 쳤는지 안 쳤는지 무슨 상관이냐, 이런 시각이 바로 신토불이다.

이렇게 시작된 친환경 농업이 활성화된 결정적 계기는 무상 급식 도입이었다. 학교에서 친환경 농산물 의무 사용 비율을 도입하면서 수요처가 없던 유기농 등 친환경 농산물에 거대한 수요가 생겨났다. 2010년대로 넘어오면서 현장에서는 신토불이라는 말 대신에 친환경이라는 패러다임이 자리를 잡아갔다. 여기에 더해져 요즘은 그 지역 산물이라는, 이동 거리 개념을 포함한 로컬 푸드 개념이 추가되는 중이었다.

친환경과 지역 농산물인 로컬 푸드의 결합은 완주군에서처럼 지역 경제 발전을 위한 성공 사례를 만들어 냈다. 미래를 향해 새로운 농업 패러다임이 자리를 잡아가던 중, 터져 나온 것이 서울시 교육청의 농약 급식 사건이다. 친환경이 뭐가 중요해, 값만 싸면 되지! YS 시절의 신토불이 오류를 다시 보는 듯했다.

생태 경제는 인간과 자연에 모두 이로운 경제적 해법을 찾기 위한 노력이다. 농약 급식은 반인간적이고 반생태적이며 동시에 근시안적인 농업 파괴 정책이다. 서울시 교육청은 물론 다른 곳에서도 신토불이의 오류를 다시 범하지 말고, 이제라도 생태 경제의 길로 돌아오기를 희망한다.

무상 급식, 좌·우파 모두를 진화시키다

무상 급식이 선거에서 위력을 한 번 발휘한 이후, 야당 정치인들은 이 주제를 이미 소진된 것으로 간주하는 경향이 있다. 이건 이미 한 번 했고, 무상 급식 같은 뭐 '쌈박한' 다른 거 없나, 이런 게 후보들의 고민이다. 한 번 써먹은 것은 지나간 것, 주류 정치인들에게 선거야말로 어쩌면 인스턴트 백화점 같은 건지 모르겠다. 진열되어 있는 것 중에서 몇 개 골라잡고, 거기에 약간의 포장을 더해 공약으로 제시하는 것, 정책의 즉흥성이라고 할 수 있다.

급식을 둘러싼 두 가지의 흐름이 2014년 지방선거에서 대격돌했다. 무상에서 친환경으로 내용이 진화한 진보 쪽과 보통 GAP라고 부르는 국가 관리 농산물 우수 관리 인증제를 주장하는 보수의 방향이다. 일본의 경우를 예로 들어 보자. 국가 인증보다 사람들이 더 쳐 주는 것은 지역 생협의 자체 브랜드이다. "이건 내가 보증합니다." 이러한 생협 간판 농산물이 더 고급이다. 생협을 통해 장기간 계약 재배를 한 농산물이 도·농 협동의 정신에도 맞고 더 안전하기도 하다. 국가가 개입하면 많은 분량을 대충 처리하기 때문에 아무리 안전하게 한다고 해도 구멍이 뚫리기 마련이다. 장기적으로는 한국도 친환경 농산물이나 GAP 같은 국가 인증을 넘어, 지역의 생협들이 로컬 푸드 중심으로 직접 보증하는 형태로 가게 될 것이다. 어쨌든 그건 먼 미래의 일이고.

진보와 보수는 친환경 농산물과 GAP를 학교 식단 꾸리기 기본 정책으로 들고 나오면서 정면으로 붙었는데, 결과적으로는 친환경 쪽이 완승했다. 보수가 먹이겠다고 하는 국가가 보증하는 우수 농산물, 이게 왜 문제냐? 물론 아무런 관리가 없는 것보다는 국가 보증 제도가 있는 게 낫지만, 이는 워낙 보편적인 인증제라서 친환경 농산물보다는 관행 농법, 즉 농약도 치는 그런 농산물을 대상으로 한다. 국가 인증 농산물은 아무런 관리도 없이 방치된 농산물보다 우수하다는 의미이지, 무농약이나 친환경 농산물보다 우수하다는 말은 아니다.

서울시장 후보로 나왔던 정몽준 후보가 꺼내든 '농약 급식'은, 약간 번지수가 틀렸다. 친환경 농산물 시스템에서도 문제가 생길 수 있기 때문이다. 인근 농장에서 농약이 유입될 수도 있고, 상류의 골프장에서 유입될 수도 있다. 원래는 한 마을 전체가 인증을 받는 게 제일 안전하지만 아직은 도입 초기라서 완벽한 관리가 되지는 않는다. 이건 개선해야 할 문제다. 제일 좋은 것은 학교와 생협 그리고 장기 계약 농가가 안전한 시스템을 형성하는 것이다. 그런데 문용린 서울시 교육감이 가자고 한 방향은 "농약은 과학이다."라는 기가 막힌 표현처럼, 기본적으로는 잔류 농약이 관리되는 정도의 농산물이다. 친환경 농산물 수준의 관리를 하면 가끔 사고처럼 농약이 잔류하는 일이 벌어질 수는 있지만 식중독 같은 게 발생하지는 않는다. 그러나 우수 농산물이라는 이름의 GAP 시스템으로 가면, 식재료 관리도가 낮아지기 때문에 과거 식중독이 빈번하던 그 시절로 다시 돌아가게 된다. 자기들은 잔류 농약 관리하는 정도의 시스템으로 가면서 '농약 급식' 문제를 꺼내든 쪽이 오히려 자살골을 넣은 거 아닌가, 진보 교육감이 많이 당선된 선거 결과를 보면서 그런 생각이 들었다.

자체 인증, 로컬 푸드, 학교 텃밭, 농업교육 등 급식이 가야 할 길은 아직도 멀다. 어쨌든 GAP로 가지는 말자는 국민들의 선택이 2014년에 있었던 교육감 선거에서 '진보 교육감'들이 대거 당선되는 결과를 가져온 것이 아닌가 싶다. 친환경 무상 급식이 여전히 위력적인 정책이라는 것이 여실히 증명된 셈이다.

국산 메밀 외면하는 대기업 메밀국수

아내가 출산을 몇 달 앞두고 있었을 때, 매끼 밥을 해 주지는 못하더라도 주말에는 몇 번 나름 신경을 써서 밥을 짓고 있다. 내가 만들 수 있는 메뉴가 엄청나게 다양한 것은 아니지만, 그래도 좋은 재료들을 가지고 뭔가를 보여 주려고 노력하는 중이다. 그 메뉴 중에 메밀국수가 하나 들어가 있다. 아내는 메밀국수를 엄청나게 좋아한다. 나는 그렇게까지 잘 먹는 음식은 아니지만, 어쨌든 아내가 워낙 좋아하니까 얼마 전부터 만들기 시작했다. 처음에는 대형 식품 업체에서 나온 메밀국수를 사용했다. 특별한 생각 없이 만들었다가 식사를 마치고 난 아내한테 혐오에 가까운 구박을 받았다. "이거 중국산인 거 알아?"

너무 작은 글자로 써 있는데다가, 제조를 국내에서 했다는 글귀와 섞여 있어서 나도 미처 몰랐다. 국수가 맛은 있었다. 그렇지만 아내에게, 그것도 임신 중인 아내에게 중국산 메밀을 먹게 한 것은, 어쨌든 좀 미안한 일이다. 포장도 한 번 먹을 만한 분량씩 끈으로 묶여 있고, 맛도 괜찮고, 별 불만이 없었는데, 중국산 메밀을 꼭 이렇게까지 해서 먹어야 할 것인가, 그런 생각이 들었다.

결국 시장조사에 나섰다. 또 다른 유명 식품 업체에서도 같은 제품이 나오는데, 여기도 중국산인 것은 마찬가지이다. 이 회사는 식품 업계에서 드물게 주부 비정규직 사원을 쓰지 않는 것으로 알고 있고, 적당한 때가 되면 조사를 해서 사례로 공개해 보려고 하던 회사이다. 경제학자들 사이에서는 나름 '훌륭한 회사'라는 평을 받고 있는 회사 역시 중국산 메밀을 쓰는 걸 보고, 좀 더 깊은 고민을 시작했다.

찾아보니까 국내산 메밀국수가 없는 것은 아니었다. 봉평 메밀, 봉평 막국수, 이런 것들은 국내산 메밀을 쓴다. 몇 군데 더 돌아다녀 보니까, 좀 소득이 높아서 원재료에 대한 관심이 높을 만한 지역에는 봉평 메밀이 들어가 있고, 그렇지 않은 지역의 마트에는 대기업의 유통이 그냥 장악하고 있는 것 같다. 포장은 국내산 쪽이 투박하고, 1인분씩 낱개로 묶여 있지도 않다. 모양만 보고 산다면 당연히 대기업 제품 쪽으로 손이 갈 것 같다.

자, 그렇다면 가격은? 가게마다 약간씩 가격이 다르기는 한데, 국내산 메밀 제품이 예상과 달리 중국산 메밀 제품보다 20~30% 정도 싼 것 같다. 포장의 화려함을 약간 포기한다면 국내산 메밀로 만든 메밀국수를 선택하는 편이 가격으로 보면 더 싸다.

메밀국수의 원재료 가격이 중국산이 더 싸서 대기업들이 선택한 것이겠지만, 하여간 시중에 나와 있는 제품만으로 보면, 그렇지는 않아 보인다. 결국 대기업의 폭리에 가까운 유통 마진 같은 문제를 먼저 생각해 보지 않을 수 없다. 메밀과 같은 계절상품에 가까운 특수작물은 대규모 업체라면 연간 계약재배 같은 방식으로 농가와 함께 길게 가는 방법이 좋다. 그러나 아직 한국의 대기업이 그렇게까지 국내 농가와 식재료의 안정성에 대해서 관심을 갖는 것처럼 보이지는 않는다.

쌀시장 개방 논의를 보면서 잠시 중국산 메밀로 만들어지는 한국의 메밀국수들에 대해서 생각해 보았다. 어떻게 하면 농가들에 안정된 삶을 만들어 줄 것인가의 문제는 길게 보면 어떻게 하면 우리들의 안전한 식생활을 지킬 것인가 하는 문제이다. 배 속의 태아에게 중국산 메밀을 이미 먹게 만든 아비로서, 할 말이 별로 없다.

텃밭을 위한 변론

이제는 중국인 관광객들의 필수 방문지 중 하나가 돼 버린 이화여자대학교에 ECC라는 이름을 가진 건물이 하나 있다. 칭송과 비난을 동시에 받는 건물이다. ECC라는, 정말로 이렇게 몰개성적이며 국적 불문의 건물 이름을 써야 하는 것인가? ECC는 Ewha Campus Complex의 약자로 이화여대 교내 복합단지라는 뜻이다. 건물 이름 같은 기본적인 것에서부터 역사와 전통을 깡그리 무시한 단절적 건물 디자인까지, 많은 논란이 뒤따르고 있다. 건축 초기에 이 건물을 생태 건축이라고 볼 수 있느냐는 질문이 나에게도 건너건너 왔는데, 나는 그 건축물은 생태적으로 보기는 어렵다는 의견을 보냈다. 건물이 문을 연 지 7년, 나는 여전히 그 질문에 답하고 싶어졌다. 남자들이 초고층 건물에 찬사를 보내는 요즘, 그래도 너무 무지막지하게 위로 올라가지 않고 절제의 미덕을 갖춘, 그리고 비록 조경 차원이지만 에코 코드를 담으려고 했던 것을 어떻게 생각해야 할까. 여전히 고민 중이다.

유사한 고민을 '생태 도시 서울'이라는 표현을 놓고 하게 된다. 서울은 그 자체로 일종의 생태 착취 도시이다. 다른 지역의 돈만 착취하는 것이 아니라 자원, 에너지 그리고 생태 시스템 그 자체까지 착취한다. 전기, 수도, 심지어 건물 조경용 나무와 꽃, 그 어느 하나도 서울이 다른 곳에 빚지지 않은 것이 없다. 심지어 한강 유역의 홍수 예방을 위하여 강원도는 자신과는 상관도 없는 댐들을 유지해야 한다. 늘어난 안개 일수로 인한 피해는 고스란히 강원도 사람들의 몫이다.

수년 전 청년 농업에 대한 연구를 하다가 서울에 농민 숫자가 일부 파악되어서 현장에 급히 가 본 적이 있었다. 강남구 한가운데, 수서 바로 건너편에 정말로 농민들이 농사짓고 있었다. 강남 한가운데에서 농사를? 진짜였다. 나중에 오세훈의 보금자리 주택 개발 때 결국은 밀려나고 말았다.

2011년, 그러니까 MB 시절 '도시 농업의 육성 및 지원에 관한 법률'이라는 게 생겨났다. 뜨문뜨문 시작한 텃밭이 바야흐로 국가의 주요 사업이 된 것이다. 일부 시민 단체의 생태 도시와 농민 단체의 도시 농업 주장이 정부 시책에 반영되었다. 서울에서 농업을? 어쨌든 이건 세계적인 트렌드이다.

정몽준 씨는 과거 서울시장 후보 시절 서울의 귀한 땅들을 텃밭으로 놀리고 있다며, 자신은 다시 삽질을 하겠다고 선언했다. 2010년 선거에서는 텃밭의 법률적 근거가 약했지만, 지금은 바뀌었다. 위의 법 3조는 도시 농업을 위한 공간 확보는 물론이고 활성화를 위한 시책을 추진할 주체로 지방자치단체를 명기하고 있다. 누구든지 한국에서 단체장이라면 도시 농업을 추진하도록 법률이 규정하고 있는 것이다.

물론 그렇다고 해서 서울과 같은 대도시가 식량을 자급자족할 수도 없고, 쿠바 같은 특수 경우를 제외하면 텃밭에서 의미 있는 분량의 농산물이 나오지도 않는다. 그래서 도시 농업은 생태 도시라는 틀 안에서 보아야 하는 것이다. 노는 땅마다 고층 빌딩을 올리는 게 장기적으로 수익성이 있는지, 아니면 텃밭과 공원들을 배치하면서 점차적으로 생태 건전성을 높이는 게 수익성이 있는지 따져볼 필요가 있다. 발전의 일정 단계를 지나면 오히려 생태적 건전성이 수익성도 더 높다.

이대 ECC, 이 건물은 서울이 갖고 있는 고민을 고스란히 가지고 있다. 정몽준 씨라면 이 건물을 어떻게 지었을까, 그의 텃밭 비난을 보면서 다시 한 번 생각해 보게 된다. 딱, 도시 텃밭 같은 건물이 아닌가!

생태주의자 눈으로 본 철도 파업

20세기 초, 대부분의 남자 경제학자들은 철도 건설을 우호적인 시각으로 바라보았고, 이게 새로운 시대를 열어 줄 것이라고 믿지 않은 사람은 없었던 것 같다. 그러나 여성 경제학자이자, 1차 세계대전을 지지했던 독일의 극우파 남성들이 가장 싫어했던 로자 룩셈부르크는 생각이 좀 달랐다. 실제 그녀는 군인들에게 길거리에서 난타당해서 사망하게 된다.

그녀는 철도 건설을 전통적인 자본주의 영역 바깥으로 손을 뻗어 시스템 외부의 자원을 확보하는 과정으로 보았다. 자국 내에서 외부 착취 요소를 찾던 자본주의가 결국에는 더 큰 외부로 향해 제국주의가 된다. 그런데 그 후에도 지속적으로 착취할 외부를 찾지 못하면? 로자는 결국 자본주의가 붕괴될 것이라고 보았다. 나는 로자 룩셈부르크 말고 철도에 대해 이렇게 야박한 시선을 보낸 사람을 보지 못했다.

현대를 사는 대부분의 생태주의자들은 철도를 지지하고, 대중교통을 지지한다. 승용차를 통한 개별 운송이 만들어 내는 환경 부하보다는 철도편이 유리하다는 것이 이유다. 유사한 논쟁은 한반도 대운하를 두고, 배가 트럭이나 승용차보다 온실가스 감축 면에서 유리하다고 주장할 때 나온 적이 있다. 물론 개별 운송보다 유리하기는 하지만, 철도보다 유리하지는 않다.

생태주의는 유럽에서는 시민사회의 한 분야다. 녹색은 생태, 보라는 여성, 그렇게 색깔로 각각 상징된다. 사회민주주의, 줄여서 사민주의가 노동자들을 대변하면서 전통적인 좌파를 형성한 반면, 생태는 별도로 녹색당을 만들면서 신좌파의 한 축을 형성한다. 그리고 생태주의는 그런 노동자들이 지나치게 강해져 생겨난 제도적 부패를 견제하면서 출발했다. 우리 식으로 말하면, 지금의 정의당이나 노동당이 집권을 했고, 또 그들이 너무 오래 집권하다 보니 부패 현상이 나타나 녹색당이 생겨난 것이라고 말할 수 있다. 스위스 등에선 중간에 농민당이 생겨나기도 했는데, 이건 결국 극우파 정당이 되었다.

그런 이유로, 생태주의는 노동자들의 파업을 무조건적으로 지지하지 않고, 사민주의 노선에 전적으로 공감하지도 않는다. 그것이 생태적일 때, 그리하여 지속 가능한 사회를 위해 도움이 될 때 지지한다. 좌파의 여러 흐름들이 보편적으로 지지하는 공공성에 대해서도, 예를 들면 원자력 발전과 같은 경우 생태주의는 과감하게 반대 의지를 표명한다.

이런 눈으로 볼 때, 지난 2013년 말 민영화 반대를 요구하면 진행된 철도 파업은 어떨까? 코레일 41%, 공공자금 59%로 자회사를 만들어 수서발 KTX에서 경쟁을 시키겠다는 것이다. 이와 유사한 일을 외환 위기 때 한 적이 있다. 바로 거대 조직 한전의 발전 부문을 떼어내 6개 자회사로 만든 것이다. 그때는 일부 발전소를 해외에 매각하는 것을 전제로 작업했다. 이후 경제 상황도 나아지고 공공성 논의가 진행되면서 매각은 이루어지지 않았다.

지난 정부에서는 선진화를 명분으로, 다시 이렇게 나누어진 발전사의 합병 논의를 했다. 정부가 하는 말의 미사여구를 다 떼어놓고 한전 분할과 비교해 보면 기술적으로 다를 바가 없다. 그러니 이를 민영화 '수순'으로 보지 않을 방법이 있는가? 게다가 모기업과 자회사 사이의 경쟁이라니, 무슨 해괴한 말을 하는가? 발전 자회사 주주총회 한 번 가 보시라. 한전 간부 한 명, 사무관 한 명이 주주를 대표해서 앉아있는 경우가 허다하다.

게다가 정부 기조야 언제든 바뀔 수 있는 것 아닌가? 철도 요금이 저렴해져서 더 많은 사람이 이용할 수 있다면 왜 반대를 하겠는가? 그게 아니라서 반대하는 것 아닌가? 선로는 정부가 관리하니까 민영화가 아니다? 한전은 발전망을 보유했지만, 개별 발전소는 해외에 매각할 수 있다는 게 당시 논리였다. 생태의 눈으로 볼 때도, 철도 파업을 지지하지 않을 수가 없다.

이효리와 에코 웨딩 & 윤리적 결혼식

나는 일본에서 가장 기이한 결혼식 문화를 본 적이 있다. 주말 오후가 되면 특급 호텔 로비에서 턱시도를 입은 할아버지들과 화복을 곱게 받쳐 입은 할머니들을 만날 수 있다. 일본의 결혼식은 우리보다 하객 숫자는 적지만, 결혼식 시간은 길다. 그런데 그 결혼식장 앞에 새겨진 십자가가 예사롭지 않다. 결혼식 주례는 외국인 목사가 서는 것이 일본의 일반적인 전통으로 굳어 가고 있다.

물론 일본에 기독교 인구는 1% 이하로 거의 없는 셈이지만, 하여간 문화는 그렇게 형성되어 있다. 외국인 목사를 일본에서 구할 길이 없으니, 보통은 유학생 등 외국인들이 주례 보는 알바를 한다. 탈아입구(脫亞入歐)의 역사적 전통 속에서 이런 희한한 결혼식 문화가 생겨났다.

지금 한국의 결혼은, 하객 숫자는 줄고 단가는 비싸지는 방향으로 가고 있다. 청년 솔로 현상이 강화되면서 더 적은 사람들이 결혼을 하는데, 그러다 보니 비즈니스 규모를 유지하기 위해서 업체들이 갖은 명목으로 단가를 올린다.

마찬가지 현상이 육아 산업에서도 생기고 있는 중이다. 신생아 숫자가 줄어드니까 더 고급화해서 자신의 비즈니스 규모를 유지하려고 한다. 장기적으로 결혼식은 더 비싸게 만들려는 경향이 강해질 것이고, 그 비용이 무서워서 아예 결혼식 아니 결혼을 포기하는 현상이 또 하나의 트렌드로 자리 잡을 것이다.

EBS '하나뿐인 지구' 팀과 과연 에코 웨딩이란 무엇인가, 그 질문을 해 봤다. 주말에 시장이 단출하게 결혼 서약만 하면 끝나는 유럽식 구청 결혼식이 가장 생태적이기는 하다. 그래도 그것보다는 조금 더 형식을 갖추고 싶어 하는 사람이 많을 것이다. 우리가 찾아 본 결혼식 중에서 이효리-이상순 커플의 경우가 에코 웨딩에 가장 가까웠다.

일가친지들만 제주도의 작은 별장에 초청해서 조촐하게 결혼식을 올렸다. 친환경 드레스를 입고 톱스타 치고는 정말 상상을 초월한 소박한 결혼식이었다. 영국의 윌리엄 왕자 결혼식이 에코 웨딩으로 유명하다. 결혼식 집기를 비롯해서 청첩장과 꽃 장식 등이 모두 재활용이 가능한 물품들로 마련됐다.

우리의 경우는 버려지는 꽃도 꽃이지만 결혼 뷔페 이후 버려지는 음식물 쓰레기도 보통 골치 아픈 일이 아니다. 2만3,000톤의 음식물 쓰레기가 공식적으로 결혼식에서 나오는 폐기물 분량이다. 결혼식 평균 비용은 5,000만 원, 박정희 시절의 국민의례 준칙으로도 이 문제는 못 풀었다.

어떻게 하면 결혼식 규모를 줄일 것인가, 그리고 환경적 문제를 줄인 에코 웨딩으로 할 것인가, 이런 게 새로운 질문으로 대두됐다. 이런 문제의식을 가지고 EBS 취재팀과 작업을 함께 하던 중 아주 인상 깊은 결혼식 두 개를 보게 되었다.

하나는 어느 인디밴드 음악가들의 결혼식이었다. 당연히 그들은 돈이 없었고, '은혜 갚을 결혼식'이란 이름으로 결혼 펀딩을 했다. 180만 원이 목표액이었는데, 400만 원이 모였다. 그들은 결혼 후 자신들의 앨범과 손수 쓴 편지 그리고 직접 만든 양갱으로 감사의 마음을 보냈다.

또 하나는 최근의 마을 만들기 일환으로 진행된 마을 결혼식. 동네에서 조금씩 음식을 만들어 오는 이 결혼식은 작지만 풋풋한 인정이 있었다. 공동체가 복원되면 결혼에도 새로운 유행이 생길 것 같다. 머리 손질과 화장까지 주민과 지인들의 도움을 받았다. 결혼식은 마을 강당에서 진행되었다.

유럽에서 유행하는 윤리적 결혼식은 대중교통이 가능한 장소에서 결혼할 것, 재활용이 가능한 물품을 사용할 것, 로컬 푸드를 사용할 것, 그래서 생태에 기여할 것, 이런 기준들을 가지고 있다. 우리도 결혼 문화를 바꾸자.

우유, 얼마나 마셔야 하나?

2008년 서울환경영화제에서는 좀 충격적인 다큐 한 편이 상영되었다. 〈우유에 관한 불편한 진실〉이라는 이 다큐는 찬양 일색이던 우유의 부작용을 다뤄 논란거리가 되었다. 왜 이 영화가 환경 다큐에 나왔을까. 우유에 대한 효능 이외에도 축산이 아주 중요한 하수 오염원이기 때문이다. 새만금 논쟁 때 핵심은 바로 상류 지역의 수질 오염으로 인한 담수 오염 문제였고, 담수 오염의 원인 중 하나가 축산 오염이다. 최근에는 이러한 질문에 동물 복지에 대한 논쟁이 하나 더 얹혔다. 동물 복지 논쟁을 두고 그냥 사람 몸에만 좋으면 되는 거지 동물에게 무슨 복지냐, 이렇게 생각하는 사람들도 많겠지만, 그렇게 간단하게 얘기할 것은 아니다.

현대 사회에서 우유가 가지는 신화적 요소에 대해서는 좀 생각해 볼 여지가 있다. 요즘에는 엄마들이 유아에게 가능하면 모유를 먹이려 한다. 내가 어렸을 때는 모유에는 영양 성분이 부족하고, 우유를 먹이는 게 오히려 좋다는 얘기가 있었다. 그래서 나는 모유는 아주 짧게, 그리고 우유는 길게 먹으면서 자랐다. 내가 스무 살쯤 되었을 때부터 다시 모유를 먹이는 흐름이 나오기 시작했다. 그때는 우유 먹고 자란 아이들은 배가 고파서 허기진 걸 참지 못한다는 얘기가 있었다. 심지어는 그런 이유로 성격도 급해진다는 말까지 들었다. 뭔가 이상한 걸 보면 도저히 참지 못하는 내 성격이, 어려서 우유 먹고 자라서 그렇게 된 게 아닌가, 이렇게 생각할 때도 있다.

어쨌든 우유를 많이 소비하는 선진국을 대상으로 한 연구에서는 대퇴부 골절 등 관절 질환과 우유 소비량의 상관관계는 별로 없다고 나오는 것 같다. 미국, 뉴질랜드, 스웨덴이 세계에서 우유를 가장 많이 마시는 나라들인데, 이런 나라들이 오히려 골다공증 발병 확률이 높다는 게 연구 결과다. 거의 만병통치약 수준으로 우유를 찬양하는 흐름 한편에, 이제 서서히 강력해지는 우유 반대론도 만만치 않다. 뭐가 맞는 말인가?

이런 기본적인 우유의 성격 논쟁에 추가해 우유 생산과정의 문제가 개입한다. 소를 관리하는 과정에서 사용되는 항생제 같은 약품들이 인체에 어떤 영향을 주는가, 충분히 청결한 환경에서 사육되고 있는가, 하는 기술적 문제들까지도 논란의 대상이 되고 있다. 인간에게 좋은가, 나쁜가 하는 논의 외에도 좁은 축사에 갇힌 젖소 학대 등 동물 복지의 논란도 끼어든다. 그래서 어쩌라는 거냐?

이런 종류의 논쟁에서 경제학자가 생각하는 기본 원칙은 한 가지다. 우유가 좋다고 말하면 돈이 생길 수 있지만, 우유가 좋지 않다고 말하는 걸로는 돈이 생기지는 않는다. 그게 산업화의 논리이고, 그 과정을 거쳐서 많은 신화들이 만들어진다. 그러니까 뭔가 이상하다고 말하는 사람들이 말하는 내용을 주의 깊게 들여다볼 필요가 있다는 것이다. 한 가지 확실한 것은 모든 사람이 우유를 먹을 수 있는 것은 아니라는 점이다.

이렇게 논란 중인 우유에 대해, 나는 비겁한 결론을 내리려 한다. 최근 하버드대 의대에서 하루 우유 권장량으로 권고한 것이 200*ml*, 2잔 정도다. 한국암협회에서는 중년 이후 남성의 경우 하루에 저지방 우유 1잔을 권고했다. 엄청나게 많이 마시라고는 권고하지 않는 것이 최근의 추세다.

대통령도 코팅 팬 쓰면 덜 억울하겠다

헬렌 니어링과 스콧 니어링 부부의 행복한 삶을 담은 『소박한 밥상』은 한참 우리나라에 생태 열풍이 불 때 그야말로 '이것이 행복이다', 그런 걸 보여 줬던 책이다. 자급자족 텃밭과 간단한 요리, 그리고 독서와 친교, 명상, 이렇게 사랑하는 사람들이 병나지 않고 수십 년을 즐겁게 살았으니 부러울 뿐이다. 건강한 식재료와 생태적 고민을 접목시킨 영국의 유명한 '훈남' 요리사 제이미 올리버는 그와는 조금 다르지만, 어쨌든 그 지역에서 나는 로컬 푸드와 유기농 중심의 유식 혁명으로 영국에서 작위까지 받았다. 나는 누군가처럼 되고 싶다는 생각을 거의 하지 않고 사는 편이지만, 스콧 니어링이나 제이미 올리버 같은 사람들이 부럽다.

내가 요리를 전문적으로 하는 건 아니지만, 그래도 집에서 어지간하게 한 끼 차릴 정도는 된다. 일주일에 몇 번 정도는 내가 준비한다. 이건 이렇게 하면 돼, 저건 저렇게 하면 돼, 하면서 요리에 관한 웬만한 것에 대한 답은 찾았다고 생각하는데, 프라이팬에 대한 답은 아직까지도 못 찾았다. 내 주변의 생태 문제에 관한 웬만한 전문가들에게 자문을 받았는데, 매번 정답을 알려 주던 그들도 이 문제만큼은 답이 없다고 머리를 내젓는다.

20대 때는 나도 아무 생각 없이 그냥 코팅 팬을 썼다. 30대에는 무쇠 팬을 썼다. 무쇠 팬은 물기가 묻으면 바로 녹이 슬기 때문에 관리가 아주 어렵다. 게다가 요리를 하다 보면 엄청 눌어붙는다. 그나마 계속해서 요리를 하면 관리가 좀 더 쉬워지는데, 어쩌다 한 번씩 쓰니까 그게 쉽지가 않다. 그래서 어쩔 수 없이 5년 전에 아주 비싼 독일제 코팅 팬을 샀다. 간단한 계란 부침이나 두부 튀김 같은 것만 했는데, 이게 얼마 전부터 맛이 갔다. 사실 나는 이미 프라이팬을 여러 개 가지고 있다. 생협에서는 삼중 바닥 스테인리스 프라이팬을 몇 년 전부터 팔기 시작했다. 코팅 팬을 불안하게 생각하는 주부가 많기도 할 뿐더러, 주기적으로 교체해야 하는 코팅 팬에 비해 대를 물려 쓸 수 있기 때문에 생태적이라는 게 그 이유다.

어지간한 음식은 별 상관이 없는데, 계란 부침 등 진짜 간단한 음식, 그야말로 단백질만으로 구성된 재료는 스테인리스 팬으로 요리하는 것이 쉽지가 않다. 예열을 충분히 하면 좀 나아지기는 하는데, 그래도 코팅 팬에 비할 바는 아니다. 계란 하나 부치자고 몇 분씩 에너지를 쓰는 것도 마음에 걸린다. 얼마 전부터 돼지 껍데기 구이를 먹기 시작했는데, 이게 영 고민 덩어리다. 양념이 타면서 들러붙는 바람에 겉을 바삭하게 하기가 어렵다. 스테인리스 팬으로도 어느 정도 되기는 하지만, 탄 양념을 먹는 위험을 감수해야 한다.

영원히 벗겨지지 않는 코팅 팬은 아직 없다. 비싼 걸 샀는데도 내 경우에는 5년이 한계치였다. 어른들이야 그냥 그렇게 살다가 죽으면 그만이라고 할 텐데, 아기가 태어나니 고민을 하게 된다. 정부가 뭘 하나 살펴봤더니, 별 관심은 없는 듯싶다. 원래도 관심이 없었는데, 요즘 '줄푸세'의 규제 풀기가 대통령 초미의 관심사이다 보니, 코팅 프라이팬의 안전한 공업규격을 만들고, 허용 한도 같은 것을 정비하는 일 따위를 하는 공무원은 옷 벗을 각오를 해야 하나 보다. 코팅에 사용되는 화학물질에 발암물질이 있는지 없는지, 나는 여전히 궁금하다. 그러나 그런 조사나 검사를 제대로 안 하니, 있다고도, 없다고도 말 못하는 상황이 됐다. 간단히 말하면, 아무도 모른다!

전두환 시절, 청와대가 직접 나서 세계 제1 프로젝트를 했다. 그 결과 대한민국의 손톱깎이가 세계 제1이 되었다. 그러고 보니 궁금하다. 청와대에서는 코팅 프라이팬 쓰는지, 스테인리스 프라이팬 쓰는지? 대통령도 공평하게 코팅 먹고 있다면 덜 억울할 것 같다. 안전하고 생태적인 프라이팬, 이런 게 정부 업적이 되면 나도 기립박수를 쳐 주겠다

무더위 퇴치, 천장 선풍기의 재발견

오래 전에 공직을 그만두면서 하던 일을 다 내려놓았다. 그렇지만 그 중에서 여전히 기억에 아른거리는 일이 하나 있다. 도시가스나 지역난방을 통해 냉방을 할 수 있는 시스템을 개발하고 보급하는 정책도 내가 하던 일 중 하나였다. 도시가스로 냉방을 하면 전기는 최소로 쓰면서 훨씬 저렴해지고, 국가적으로도 전기 부하를 줄일 수 있다. 여기에서 한 발 더 나아가 지역난방을 지역냉난방으로 바꾼다면, 전기는 물론 에너지의 효율성도 높일 수 있다. 장기적인 온난화 현상을 생각한다면, 그냥 더위를 참으라고 할 일이 아니라, 보다 효율적이면서도 저렴한 대체 수단을 찾아야 한다는 것이 당시의 생각이었다. 초기 제품은 고가이겠지만 기술이 안정화되면 결국에는 전기 에어컨의 대안이 될 수 있다.

하지만 한국의 냉방 기술은 오히려 더 고가이면서도 전기를 많이 쓰는 방식이었다. 시스템 냉난방, 미국을 제외하고 개인들도 이런 식으로 냉방 체계를 만드는 나라가 있는지 모를 정도로, 정말 이상한 방식으로 왔다. 더워도 무조건 참자, 이것도 좀 이상하기는 하지만, 전기를 잔뜩 쓰면 해결된다, 이것도 이상하다. 원자력 발전의 위험에 대해 고민하기 시작하면, 냉방 방식에 대해서도 고민하게 된다.

내가 사는 집의 냉방 방식을 결정할 순간이 되면서, 나도 이 고민을 했다. 건축업자는 시스템 에어컨 쪽을 권유했다. 돈은 더 들어도, 나중에 집의 경제적 가치가 올라간다는 것이다. 나는 집을 팔 생각이 없으니까, 그 얘기는 안 들었지만, 아기 키우면서 더운 걸 무조건 버틸 수도 없으니 진지하게 대안을 고민했다. 결국 내가 선택한 것은 천장형 선풍기라고 번역할 수 있는 실링팬이었다. 방마다 실링팬을 달았다. 전기라고 해봐야 보통 사용하는 선풍기보다 적게 사용돼서 에어컨 전기료에 비할 바가 아니다. 에어컨 냉방비와 비교하면 한 달 안에 설치하는 데 드는 비용은 전부 빠진다. 문제는 과연 이게 한국의 무더위에 효과가 있겠느냐는 것 아니겠는가?

실링팬은 대류 방식이라 일반 선풍기와는 작동 원리가 다르다. 더운 공기는 위로 올라가는데, 위에서 이걸 흔들어서 대류를 만드니까 바람이 생겨난다. 실제 사용해 보니까, 창문을 열지 않은 상태에서는 큰 효과가 없었다. 그러나 창문이 열려 있으면, 특히 두 개가 열려 있다면 정말 시원하다. 아주 더운 날을 제외하면 충분하다. 그래도 아기가 자는 방에는 예전에 쓰던 에어컨을 달았는데, 작년에는 딱 하루 에어컨을 켰다. 에어컨을 켜는 경우에도 실링팬을 같이 쓰면 효과가 더 커진다. 요즘 실링팬은 회전 방향을 조절할 수 있는데, 역방향으로 하면 겨울철 난방에도 보조 효과가 생긴다. 더워진 바람을 밑으로 내리면 난방 보조기구가 된다. 문제는 이게 집주인들의 선택이라는 점이다. 월세, 전세 사는 사람들은 혼자 결정할 수가 없다. 집주인과 잘 상의하면 집의 가치를 높이는 일이니까 적당히 비용을 배분하면서 설치할 길이 있겠지만, 현실에서 그게 쉽겠는가?

정부와 지자체에서 천장형 선풍기 설치를 권장하고, 주인과의 마찰 같은 것을 정부 권고안으로 해결해 주면 좋을 듯싶다. 약간이라도 보조금을 주면 더욱 고맙겠고. 무더위 때 전기부하 피크 관리, 내가 보기에는 실링팬 보급이 딱 답이다. 에어컨 업체를 제외한 모두에게 이익이다.

‘개도맹’과 종로구 생태 보고서

“철령 높은 봉에 쉬어 넘는 저 구름아/고신원루를 비삼아 띄웠다가/님 계신 구중심처에 뿌려 본들 어떠리.”

‘철령 높은 봉에’로 시작하는 이 시조는 백사 이항복이 북청으로 유배 가는 길에 지은 것이다. 그는 결국 이곳에서 삶을 마감했다. 오성과 한음으로 한국사에서 가장 짓궂고 개구쟁이였던 소년들로 남은 바로 그 이항복 얘기를 우리는 참 좋아했던 것 같다. 아직도 기억나는 것은 권율의 딸이었던 그의 아내와 친해지기 시작했다는 것을 스스럼없이 서로 방귀를 뀌게 되었다고 표현한 것이었다. 언제 자기의 배우자 앞에서 방귀를 뀌었는가, 그런 표현은 서양의 유머집에서도 못 본 것 같다.

이항복이 죽어서도 서울에서 거의 유일한 도롱뇽 서식지를 지키고 있고, 그걸 지키던 사람들이 '개도맹'이라는 말을 만들게 되었으니, 유머만큼은 죽어서도 여전한 듯싶다. 개구리, 도마뱀, 맹꽁이를 줄여서 개도맹이라고 부르고, 이런 게 사는 곳은 1급 생태지이므로 보존해야 한다, 그런 의미이다. 북악산의 청와대 반대편에 이항복이 여름에 책을 읽은 별장이 있었는데, 공교롭게 그 바로 아래에서 도롱뇽이 발견되었다. 그곳은 그의 호를 딴 백사실 계곡이다. 은평 뉴타운을 만든 이후로 이 일대를 관통하는 터널을 뚫자는 논의가 있었지만, 아직까지는 이항복 별장 터와 도롱뇽의 힘으로 버티는 중이다.

지자체별로 환경과 생태에 관해서 모두가 한 번씩 무엇을 할 것인지 고민하고 보고서를 쓰던 시절이 우리에게도 있었다. 1992년 리우 환경정상회담 이후로 '의제 21'이라는 것을 만들었다. 그걸 국가 차원으로도 만들고, 서울 등 각 지자체별로 만들고 심지어는 여력이 되는 대로 기초 지자체도 '의제 21' 정도는 만들려고 했다. 그 후로 20년이 넘었는데, 지역의 생태 관리는 오히려 더 뒤로 간 것 같은 느낌이 강하다. 21세기로 넘어오면서 다음 세기에는 여성, 문화와 함께 생태가 하나의 키워드가 되기를 많은 사람들이 바랐다. 하지만 한국에서 그런 일은 벌어지지 않았다.

기초 지자체인 종로구에서 만약 종로 생태 보고서를 낸다면 아마도 백사실 계곡의 도롱뇽 얘기가 클라이맥스에 놓일 것이다. 그리고 크고 작은 공원이나 궁궐의 생태적 가치, 이런 얘기들에 대한 논의들이 이어질 것이다. 지키고 자랑스러워할 만한 생태적 자산은 아직도 전국의 각 지자체별로 많이 있을 것이다. 솔직히 지난 10년 동안, 작더라도 우수한 생태계나 주목할 만한 문화재가 나오면 오히려 주민들이 은근히 싫어했다. 그 자리에 아파트도 짓고 공장도 지어야 하는데, 뭐가 나오면 개발이 어려워지기 때문이다. 하다못해, 공룡알도 싫어했다. 주민들은 문화재건 뭐건 자꾸 나와 봐야 귀찮을 뿐이라고 생각했다. 이게 현실이었다.

이제 지자체별로 생태 보고서를 만드는 시대를 열면 좋겠다. 그 과정을 주민들과 함께하면 지역 일자리도 생기고, 조그맣게나마 마을 기업도 꾸릴 수 있다. 그렇게 하다 보면 지역별로 결국 생태센터 같은 것들도 생겨날 것이다. 이런 경험을 집 앞에서 본 어린이와 청년들 중에, 나중에 생태 문제를 몸으로 체득한 다음 세대의 지도자들이 나올 것 아니겠는가? 지방자치단체장들에게 자기 지역 생태에 관한 보고서 한 권씩 준비해 보시라는 권유를 드리고 싶다. 그게 자신의 재선 준비라도 무방하다. 결국 우리 모두를 위한 일이다.

혐한·반일, 생태 협력으로 넘을 수 있다

살다 보니, 정부의 공식 협상단으로 유엔 등 각종 협상에 참여하는 일도 5년 정도 한 적이 있다. 청와대에서 매번 협상단을 임명하고, 정부의 공식 대표로서 가져야 할 입장을 훈령으로 지시한다. 그 훈령의 범위 내에서 소위 '국익'을 위해 최선을 다하던 시절이 나에게도 있었다. 출마와 선거 같은 건 안 한다는 게 나의 신조였지만, 하여간 그 시절에는 정부의 지침대로 출마도 하고, 선거도 하고, 아시아 대표로 선출도 되었다. 그때 한 가지 배운 것은, 생태적 사유를 한다는 것이 지구 차원에서 보편적 지지를 얻는 데 조금 유리하다는 점이다.

얼마 전에 도쿄에 갔다. 두 번째 일본어 번역본이 출간되어 기념 강연 같은 것을 하게 되었다. 솔직히 나는 아직 일본에서 전국 순회

강연을 할 정도의 인지도는 되지 못한다. 도쿄와 그 인근 지역의 지식인들 사회에서 강연을 할 수 있지, 히로시마나 후쿠오카 그런 데 가면 "재 누구야?", 그런 수준이다. 이번에도 일본 측 출판사에서는 전국 순회강연 같은 것을 검토했지만, 솔직히 나의 인지도는 그럴 수준이 안 된다고 판단했다. 다만, 예전에 너무 가 보고 싶었던 삼성당서점, 바로 그곳에서 강연했다는 게 나름 기쁨이었다. 우리 식으로 치면, 광화문 교보문고 정도 되는 곳이다.

내가 처음 일본에 간 것은 1999년, 오사카였다. 그 후로 꽤 많이 다양한 이유와 경로로 일본에 갔다. 그동안 수많은 사건들을 경험했다. 자민당이 무너지고 민주당 정권이 들어서는 것도 보았고, 그 민주당이 다시 무너져 자민당 시대가 돌아오는 것도 보았다. 그렇지만 그 기간에, 요즘처럼 한국과 일본이 서로를 혐오하는 시기는 없었다. '적대적 공존'이라고 할까, 한국의 반일과 일본의 혐한이 지금처럼 유기적으로 결합해서 증오를 만들어 내는 시기는 처음 보았다.

지금 일본은 혐한류라고 부르는, 한류의 반대급부에서 어쩌면 당연히 발생할지도 모르는 그런 새로운 트렌드의 클라이맥스로 가는 중이다. 한류와 혐한류, 동전의 양면처럼 공존할 수밖에 없는 현상이라고 생각한다. 지나치게 좋아하는 게 생기면, 당연히 지나치게 혐오하는 것도 생긴다.

일본에서는 요즘 혐한류 서적이 베스트셀러 앞에 있다. 나에게도 연초부터, 그 혐한류에 대한 반대 서적을 써 줄 수 있겠느냐는 부탁이 왔었다. 여러 가지로 고민해봤는데, 솔직히 귀찮았다. 별로 본질적인 얘기도 아닌 것에 내 힘을 쓰기도 싫고, 그렇게 돈 될 책에 움직인 적도 없고, 그래서 그냥 바쁘다고 대답했다.

이 정도는, 상식을 가진 한국 독자라면 다 이해할 수 있는 상황일 것이다. 그런데 삼성당서점의 강연을 비롯해서, 몇 번에 걸친 일본 언론과의 인터뷰 과정에서 내가 미처 예상하지 못했던 것은, 두 나라 시민사회 사이에 생태적 협력의 필요성을 말할 때 청중들의 반응이 뜨거웠다는 점이다.

"한·일 두 나라는 원전과 미세 먼지, 사회적 안전 등에 관해서 시민사회가 더 많이 소통하고 협력해야 합니다."

나는 그렇게 강연을 마무리했다. 아직 통역이 나오지도 않았는데, 박수가 먼저 나왔다. 솔직히 소름이 돋았다. 혐한과 반일을 넘을 가능성이 생태적 협력에 있다는 생각을 했다. 지구적 시민, 이게 한국과 일본이 고민할 다음 단계일지도 모르겠다.

중국발 초미세 먼지와 생태 외교

1950~60년대에 프랑스를 시작으로 관광부라는 부처를 만들면서 유럽 국가들이 관광 사업에 적극적으로 나서기 시작했다. 이걸 음모론으로 보는 사람들은 전후 복구에 따른 장기 호황으로 노동자들의 예금액이 늘어났고, 이에 따라 고분고분하지 않게 된 노동자들을 통제하기 위해서 관광이 시작되었다고 생각한다. 임금은 높여 주지만 해외 관광 등으로 빈털터리가 된 노동자들은 아주 열심히 일할 수밖에 없었다. 최근 프랑스의 올랑드 대통령이 1주일에 걸친 스키 바캉스를 없애고 사람들에게 더 강도 높은 노동을 시키려고 하다가 스키 관련 업계의 반발로 무산된 웃지 못 할 일이 벌어졌다. 일을 더 시키겠다는 좌파 대통령에 맞서 노동자들과 스키 자본이 손을 잡게 된 것이다.

어쨌든 이 시절에는 유럽의 여러 나라들이 너도나도 스키 관광에 열을 올렸고, 그 결과 알프스가 최대의 피해자가 되었다. 2000년대가 되면서 이런 알프스를 지속 가능하게 만들자는 논의가 시작되었다. 오스트리아, 프랑스, 독일, 스위스 여기에 리히텐슈타인까지 참여하는 거대한 협상이 벌어졌다. 조약은 만들어졌지만 그 사이에 더욱 우파 국가로 변한 스위스가 여전히 유보적인 입장을 보인다. 국경을 넘는 오염 문제나 인접된 여러 국가가 걸려 있는 생태 복원 같은 건 언제나 어려운 외교적 과제이다.

2013~2014년 겨울, 드디어 중국발 초미세 먼지 문제는 우리 사회가 풀어야 할 당면 과제라는 사실이 전면적으로 드러났다. 스모그 유형을 런던형과 LA형으로 크게 나누어 본다면 중국 스모그는 1세기 전 런던형에 가깝다. 런던형은 스모그의 주 원인은 겨울철 난방인데 반해, LA형은 더운 여름철 자동차의 배기가스가 주범이다. 이런 문제들은 자국 내에서 환경 규제를 강화하면서 어느 정도 해결되었지만, 중국에서 벌어지는 런던형 스모그의 미세 먼지와 초미세 먼지, 이건 전형적인 국경을 넘는 오염 문제다.

유아 등 노약자들에게는 이제 겨울은 끔찍한 계절이 되었다. 여기에 공업지구의 산업 오염물질까지 섞이면 그냥 방치하기는 어려운 문제가 된다. 좋으나 싫으나 우리는 정부만 보고 있을 수밖에 없는데, 박근혜 정부는 남의 나라 일을 도대체 어떻게 하란 말이냐, 이런 입장인 것 같다. 알프스 협약처럼 여러 나라가 관여하는 복잡한 문제들을 푸는 게 생태 외교의 묘미인데, 이런 시각과 기준으로 보면 한국의 생태 외교는 아직 초보적 수준이다.

단기간에 풀기는 어렵겠지만, 예를 들면 환경 기술 이전과 같은 기술적이며 동시에 경제적인 해법을 생각해볼 수 있다. 황사를 줄이기 위해서 몽골 지역에 우리가 나무를 심는 일은 이미 고전적인 사업이 되었다. 굴뚝에서 나오는 오염 물질 저감 장치나 청정 연료에 관한 각종 기술들을 이전 가능한 기술로 고려해 볼 수 있다. 이런 기술이 가져다주는 온실가스 감축 효과까지 감안하면 다양한 방식의 미세 먼지 외교가 작동할 여지가 있다. 길게 보면, 그냥 중국에 지원만 하는 것이 아니라 한국 업계의 기술 발전은 물론 새로운 생태 경제의 출발점으로 만들 가능성도 있다. 예를 들면, 한국에서는 이미 연료 전환이 이루어져서 적용하기 쉽지 않은 청정 석탄 방식을 사용하고 있는 한국 업체에 새로운 기회를 제공할 수 있다.

남의 나라에서 벌어지는 일인데 어쩌란 말이냐, 정부가 이런 입장을 가지고 있으면 곤란하다. 국민을 지키기 위해서 외교적 노력을 시작하는 건, 지금 당장 해결하라는 게 아니라 언젠가는 해결을 위해 쏟아 부어야 할 그 노력을 지금 시작하라는 것이다. 생태 외교, 한국에는 아직 낯설지만 이제는 시작하지 않을 수 없다. 인간은 초미세 먼지에 적응하지 못한다. 이 사실을 잊지 마시길.

중국발 초미세 먼지, 한·중·일 함께 고민해 보자

수도권을 중심으로, 한국 전역을 중국발 미세 먼지가 덮치는 경우가 많아졌다. 우리 집 아기는 태어나서 처음으로 본격적인 코감기라는 걸 앓았다. 나의 파트너로 일하는 에디터의 또래 아기는 아예 입원을 했다. 천식 등 어른들의 호흡기 질환은 둘째 치고, 일단 신생아 등 영·유아들의 피해가 적지 않아 보인다. 이럴 때 정부가 나서서 소송은 아니더라도 좀 뭐라고 한마디 해 주면 속이라도 좀 나아질 테지만, 중국과는 한창 영유권 분쟁 중이라, 꼼짝도 안 한다.

중국과의 미세 먼지 분쟁이 한두 해 된 것도 아니지만, 일반적인 황사와 최근의 미세 먼지는 일단 양상이 다르다. PM-10이라 부르는 일반적 미세 먼지에 이어 PM-2.5, 이런 물질들은 그 성분이 뭐든, 일단 그 크기로부터 피해가 시작된다. 게다가 이번에는 단순 먼지가 아니라 난방용 석탄이 주 원인이라, 그야말로 복합 케미컬, 미증유의 사태가 벌어진 것이다. 그리고 이 문제는 1회성이 아니라, 해가 가면 갈수록 더 심해질 것이 너무 뻔하지 않은가?

국가 간 환경문제를 월경성 환경문제라고 부르는데, 관련된 협정이 없으면 누구에게 책임을 묻기도 어렵고, 국제분쟁으로 간다고 해서 해법이 나온다는 보장도 없다. 미국과 캐나다 사이에 공해 물질을 두고 이런 분쟁이 종종 있었던 것으로 알고 있다. 따져보면 한국, 중국, 일본, 서로 물고 물리는 관계다.

폐플라스틱 해양 투기의 경우, 우리는 일본에 피해를 주고, 중국으로부터 피해를 받고 있는 사이다. 서로 자기가 당하는 것을 부각하기 위한 연구 과제에만 몰두하고 있는데, 적절한 해법이 나오기는 아직 좀 어렵다고 본다. 그뿐인가? 후쿠시마 원전 문제로 당장 몇 해째 불안한 식생활을 하고 있는데, 중국 해안에 계속해서 원전이 늘어난다고 하니, 이거 우리만 조심한다고 해서 될 일도 아니고.

남자들이 바라보는 세계에서는 군대와 영토 그리고 무기, 이런 게 인접국끼리 관계를 생각할 때 제일 먼저 떠오르는 단어들이다. 지금 한·중·일 관계가 딱 그렇다. 지금처럼 민족주의 방식으로 접근하면 각국의 집권 세력들이 챙길 수 있는 정치적 이득이 있다. 강성 분위기를 조성하는 쪽이 더 큰 이득을 본다. 그렇지만 군사놀이 좋아하는 남자의 시선을 조금 벗어나면 보이는, 육아와 보건 같은 단어들은 우리가 인접국들과 같이 만들어야 할 장기적 협약 과제의 목록으로 우리들 눈에 들어오기 시작할 것이다.

오염과 관련된 정보만이라도 미리 받아서 대비할 수 있게 하는 건 단기 대책이다. 그렇지만 중장기적으로, 기술과 자금이 움직일 수 있게 하는 게 옳을 수도 있다. 싫든 좋든, 앞으로도 오랫동안 공기와 물 그리고 쓰레기까지 공유하면서 살아야 하는 게 우리의 엄연한 현실 아닌가.

어쨌든 세계에서 가장 큰 인구와 경제력 그리고 일정한 수준이 되는 기술력까지 한·중·일, 세 나라의 권역에 모이게 된다. 조금 더 눈을 돌리면, 황사를 만들어 내는 가장 큰 배후지인 몽골도 있고, 러시아도 있다. 이런 나라들이 중장기적으로 역내 환경문제와 생태문제에 대응하는 포괄적 환경 협약을 추진하는 것, 이번 기회에 좀 생각을 해 보는 게 좋을 듯싶다. 경제적으로 서해의 어장을 공동으로 관리하면서 지속 가능한 어업 계획을 세우고, 동해와 서해의 해양 사막화에 대해서도 공동 대응을 하는 것, 해 볼 만하지 않은가?

땅 위에 아무리 엄격하게 선을 긋고, 이건 내 땅, 저건 네 땅, 그렇게 아옹다옹한다고 초미세 먼지를 비롯한 오염 물질까지 그렇게 인간의 국경을 따라 움직이지 않는다. 한·중·일이라는 틀 내에서 환경과 생태에 대한 고민을 시작하는 것, 그게 당장 그렇게 엄청난 돈이 드는 것도 아니다. 환경문제 해결의 기본은 문제가 생기기 전에 예방하는 것이다. 그런 근본적인 얘기를 해 볼 때가 됐다. 런던의 스모그 사태 때, 그들은 해법을 찾았다. 우리도 할 수 있지 않은가?

4부 : 박근혜 시대 살아가기

나는 불황 10년이 올 것이라고 예상한다. 내핍형 솔로의 구매력은 제약되고, 더욱 주변부화한다. 기껏해야 시멘트 '공구리' 박스일 뿐인 아파트에 새누리당과 경제 관료들이 목을 매는 이 나라의 미래는 10년짜리 장기 불황이다. …… 앞으로 10년의 흑역사가 지난 이후, 우리를 구원할 다음 단계의 경제 지도자들은? 풀뿌리 민주주의와 풀뿌리 경제에서 강력한 전환점이 나오지 않는 이상, 한국 경제는 더 '찌질'해질 것이고, 지방은 더욱 피폐해질 것이고, 시민들은 더욱 주변부화할 것이다.

10년 불황··청년을 위한 나라는 없다

알바와 솔로…청년을 위한 나라는 없다

경제라는 것은 어렵게 생각하면 한없이 어렵고, 복잡하게 생각하면 한없이 복잡하다. 그러나 간단하게 생각하면 그렇게 단순할 수가 없는 것이기도 하다. 어디로 돈을 흘려보낼 것인가, 어디로 돈이 흘러가는가, 그걸 중심으로 생각하면 경제적 실체에 조금은 더 가까이 접근할 수 있다. 이렇게 생각해 보자. 6·25 전쟁 이후 한국은 국방이 우선이라는 생각을 했다. 헐벗고 굶주리던 시절, 장교들에게 상대적으로 나은 대우를 해 줬다. 그렇게 10년이 지나니까, 군 장교가 한국 제일의 엘리트들이 되었다. 그들이 결국 나라를 통치하고, 경제에 대한 결정권을 가지게 됐다. 그들은 차관을 가지고 수출 실적을 올려 그 기반으로 경제를 이끌어 나갔다.

그 이후 종합상사와 공장의 시대가 열렸다. 군인들이 작전하듯 만들었던 공장이 바로 포항제철 아닌가. 군인들의 시대 사이로 대학생들이 지지하던 정치의 시대가 10년간 열렸다. 그렇지만 결국에는 군인 이후 이 사회의 엘리트 역할을 자처하던 경제인들이 정권을 가지게 되었다. 이명박의 시대, 그걸 그렇게 볼 수 있지 않은가? 한국의 많은 사장과 회장들이 지지하는 새누리당의 시대, 그 물질적이며 경제적인 기반을 이길 방법은 그렇게 많지 않다.

그렇다면 지금 우리는 어디에 투자하고 있고, 어디로 돈을 흘려보내고, 누가 엘리트 역할을 하고 있는가? 복잡한 얘기는 많지만, 실제로 돈의 흐름을 보면 지금도 서승환 국토부 장관을 축으로 시멘트와 아파트에 여전히 돈을 흘려보내고 있다. 박근혜 정권 출범 직후인 2013년 4·1 부동산 대책으로 포문을 연 이후로, 이렇게 자주 또 이렇게 강력한 대책을 만들어 내는 부분이 있는가? 어지간한 전문가들도 잘 파악하기 어려울 정도로 대책은 계속해서 나오고 있고, 어디까지 자금이 흘러들어갈지 가늠하기도 어렵다.

정부, 토건·집값 띄우기 혈안…장기 불황 뻔해

4대강 사업으로 상징되는 토건의 시대를 넘어서 한국 자본주의가 근본적인 형질 변경을 할 것인가? 이 질문이 지난 대선 이후 한국 경제에 던져진 가장 큰 질문이었다고 본다. 사람마다 보는 시각이 조금 다를 수 있지만, 나는 한국 자본주의에서 복지와 증세 논쟁은, 단기적으로 볼 때, 오히려 부차적 문제라고 본다. 그만큼 우리의 토건은 강력했고, 그를 뒷받침하는 도시화 속도는 높았다.

거의 형식적으로 "나는 했다."는 시늉만 보이는 복지를 명분으로 농업 예산은 앞으로 5년간 5조2,000억 원이 삭감될 예정이다. 비유를 들어 말하자면, 농업용수를 명분으로 하는 4대강 사업과 같은 수자원 확보에는 수십조 원을 가뿐히 쓰겠지만, 정작 농업 분야에는 단 10원도 아깝다는 게 현 경제팀의 인식이다. 미국 농업정책의 기반이 된 농업법(Farmers' Act) 전격 도입이 주요 뉴딜 정책 중 하나였던 것을 상기한다면, 아파트와 댐에만 아낌없이 돈을 털어 넣는 현재의 박근혜 경제가 얼마나 기이한 것인가를 알 수 있지 않은가?

WTO의 전격적 도입 이후, 농업 지원은 곧 저소득층 농민과 낙후 지역에 대한 소득 지원책이기도 했다. 수출금융 등 수출 지원에는 그렇게 강력하게 제동을 걸었던 WTO도 지역 경제에 대한 지원과 함께 농민 소득 지원을 위한 직불금에는 관대했다. 선진국이 그렇게 가고 있고, 지금도 더 강력한 농업 지원 정책을 고심하는 중이다. 그러나 우리는 지금 국토부 장관이 끌고 나가는 신토건주의 국면에서, 지역의 잠재력을 떨어뜨리는 방향으로 맹진군하는 중이다.

그렇다면 청년 경제에 대해서는 어떨까? 냉정하게 판단하면 지금 새누리당이 준비하는 청년 정책은 없다고 보아도 좋을 듯싶다. 시간제 알바와 창업이 중요한 두 축인데, 이게 지금 숨 넘어가기 직전인 한국 청년들에게 별 도움이 될 리가 없다는 것은 너무 명확하지 않은가? 청년 창업에 반대하는 것은 아니다. 그러나 창업은 청년 정책이지 복지 정책이 될 수 없고, 일종의 엘리트 프로그램이지 전 국민을, 전 청년을 대상으로 한 대책이 될 수는 없다. 사장만으로 구성된 국민경제, 그런 게 존재할 리 없지 않은가? 『국부론』에서 애덤 스미스는 핀 공장에서 벌어진 분업을 통한 기적적인 능률 향상을 자본주의의 성공 이유로 보았다. 시간제 알바나 사장들만으로 구성된 경제, 애덤 스미스가 생각했던 자본주의의 역동성과는 아주 거리가 먼 개념이다.

출산율은 1을 가까스로 유지하고 있을 뿐이다. 지금은 노인 솔로와 청년 솔로가 통계적으로 공존하고 있지만, 청년 솔로, 즉 본격적인 저소득 청년의 솔로 현상은 이제부터 시작된다는 것이 내가 가지고 있는 미래 전망이다. 일본식으로 표현하면 '기생형 싱글(parasite single)', 즉 진작 독립했어야 하지만 경제적 여건이 되지 않아 부모와 함께 살 수밖에 없는 청년 솔로는 통계에도 잡히지 않는다. 나는 이런 독립하지 못한 솔로까지 포함하면 청년 솔로는 이미 30%를 넘어서고 있을 것으로 추정한다. 또 정부가 전셋값 상승을 핑계로 국민경제를 토건 쪽으로 급반전시키는 동안에 그 반대편에서 솔로 현상은 더욱 심화될 것이라고 생각한다.

서승환을 톱으로 하는 박근혜 경제가 5년간 펼쳐지면 솔로 현상은 더 이상 빠져나오기 어려운 상태로 깊숙이 들어갈 것이다. 지금 대학생들을 기준으로 생각해 보면 3분의 1 정도가 결혼을 하고 자녀를 낳아 일상적으로 '가정', 전문용어로는 '핵가족'이라고 불리는 생활 단위를 형성할 것이라고 생각한다. 거시경제학이 기본 단위로 삼고 있는 '가구'는 한국에서 급속도로 해체되고 있다. 3분의 1 정도의 핵가족과 홀로 사는 3분의 2 정도로 한국 경제의 주체가 재구성 될 것으로 보인다. 이는 박근혜 정부가 출범 초기 6개월 동안 보여 주었던 경제정책의 몇 가지 시도와 흐름들을 보면서 결론을 내린 나의 장기적 전망이다.

물론 솔로 현상은 경제적인 이유 때문만이 아니라 문화 현상과 경제 현상, 이 모든 것들이 결합돼서 생긴다. 출산하지 않는 3분의 2의 국민을 만들어 내게 되는 것이다. 복지국가의 모범으로 생각되는 스웨덴도 솔로 현상은 벌어진다. 국민의 절반 이상이 혼자 살고, 또 절반 이상이 혼외 출산을 하는 곳이 스웨덴이다. 한국형 솔로와 스웨덴형 솔로의 차이점은, 최저 생계비 이상의 삶을 사는가, 아닌가, 즉 빈곤형 솔로인가, 아닌가에 있다. 우리의 청년들은 절반 이상이 빼도 박도 못하고 빈곤형 솔로가 될 것이다.

풀뿌리 경제 살려야 '청년 소외' 막는다

국민들에게 빚을 내게 해서 집을 팔아먹자, 이건 일본도 했고, 미국도 했다. 그러나 지금 서승환의 한국 국토부만큼 이 정도로 세게 하지는 않았다. 일본도 망했고, 미국도 망했다. 2008년 미국 서브 프라임 모기지 사태의 근저에는 두 가지 사회적 현상이 자리 잡고 있다. 하나는 가난한 사람들에게 빚을 내서라도 집 사라고 권유했던 것, 다른 하나는 바로 솔로 현상이다. 도시 근교에 지어놓은 단독주택을 채워 줄 아기 키우는 부모가 더 이상 없다는 것! 아빠는 출근하고, 엄마는 집에서 아이 키우고, 이 1970~80년대 풍요의 시대의 주거 양식이 솔로 경제에서는 더 이상 먹히지 않는다.

솔로 현상이 심화되면서 벌어지는 사회 현상이 바로 도심으로의 회귀다. 아기를 키울 것도 아닌데 저 먼 곳에서 출퇴근하고 싶은 사람이 누가 있겠는가? 자식을 위해서 전세라도, 월세라도 구해야 한다는 그 절박감이 지금의 20대에게는 없다. 그러나 박근혜의 경제 엘리트들은 미국과 일본도 다 겪은 이 현실적인 변화를 지금 인지하지 못하고, 설령 인지했다고 하더라도 심정적으로 받아들이지 못하는 듯싶다. 전세 사는 사람이 집만 산다면 모든 문제가 풀릴 것이다, 라는 이 토건 시대의 경제 이론은 청년의 3분의 2가 솔로로 살아가게 될 우리의 미래와 전혀 어울리지 않는다.

그래서 나는 불황 10년이 올 것이라고 예상한다. 내핍형 솔로의 구매력은 제약되고, 더욱 주변부화한다. 기껏해야 시멘트 '공구리' 박스일 뿐인 아파트에 새누리당과 경제 관료들이 목을 매는 이 나라의 미래는 10년짜리 장기 불황이다. 그렇다면 이 상황에서 누가 진정한 경제 엘리트 역할을 할 것인가? 그게 우리가 던져야 할 다음 질문이다. 불황은 이미 피해가기 어려울 정도로 확실해 보이고, 앞으로 10년의 흑역사가 지난 이후, 우리를 구원할 다음 단계의 경제 지도자들은? 풀뿌리 민주주의와 풀뿌리 경제에서 강력한 전환점이 나오지 않는 이상, 한국 경제는 더 '찌질'해질 것이고, 지방은 더욱 피폐해질 것이고, 시민들은 더욱 주변부화할 것이다.

주식 투자와 살인 사건 & 경제 클리닉

2015년 새해 벽두에 발생한 서초 세 모녀 사건은 여러 가지로 생각해 볼 거리를 많이 던져 주는 사건이다. 퇴사 후 주식 투자로 적지 않은 돈을 날린 가장이 자기 식구들을 살해한 이 끔찍한 사건은 무너져 가는 서민과 중산층이 아니라, 나름 부유층까지도 이제 경제 위기감이 확대되고 있다는 걸 보여 준다.

지난 한 해 내가 들었던 얘기 중에서 가장 무서웠던 것은 유럽이나 미국의 가장들은 혼자 자살하지만, 한국 가장들은 꼭 자녀들을 죽이고 자살한다는 것이다. 그 얘기를 들었을 때에는 뭐 그렇겠지, 싶었지만 그 말의 여운이 아직 가시기도 전에 현실에서 그 상황을 보고 나니 정말 무서워졌다.

한국은 지금 빚 권하고, 주식 권하는 사회이다. 주식으로 이혼하고 몰락하는 가정을 보는 건 그렇게 어려운 일도 아닌 게 되었다. 주식 시장은 그 특징상 주기적으로 폭락을 반복할 수밖에 없는데, 그때마다 전국적으로 몇 명씩 자살에 관한 뉴스가 나온다. 자살과 이혼, 그리고 살해, 이제는 주식이 가지고 있는 구조적 위험에 대해서 한번쯤 진지하게 고민해 봐야 할 것 같다.

한국에서 살아가면서 경제적인 의미로 가장 무서운 것을 세 가지만 들자면, 첫째가 주식, 둘째가 대부업 등 과다 부채, 셋째가 불법 다단계이다. 비정규직이나 파견직 같은 불완전 고용은 사회적으로는 위험 요소이지만, 그래도 이런 무서운 것에 비하면 좀 낫다. 비정규직은 결혼을 연기하기나 포기하거나 할지라도, 그 이유만으로 자살하지는 않는다. 비정규직을 비관한다고 해서 자살하지 않는 것은, 아무래도 비정규직이라는 일 형식에 중독성이 없기 때문이 아닐까 싶기도 하다. 그렇지만 주식, 부채, 다단계, 이런 것들은 중독성이 강하다. 일정 단계를 지나면 중독 현상이 심해져 본인의 판단으로 끊기가 어려워진다.

요즘 담배가 건강에 나쁘다고 담뱃값 올리고 금연정책을 펴느라고 난리이다. 증권 등 경제 문제로 자살하거나 이혼하는 일련의 현상에 대한 사회적 비용을 실제로 계산해 보면 담배의 위험 요소보다 더 클 수도 있다. 담뱃값과 그에 따른 병원비보다 몇 배로 큰돈을 증권으로 날리기는 아주 쉽다. 담배 정책과 유사하게 생각해 본다면, 이 경우 경제적 위험 요소를 제어하는 경제 클리닉 같은 것을 국가가 운영하는 것이 맞을 것 같다.

일정 규모 이상의 증권 부채, 과도한 다단계의 소비 그리고 도저히 갚을 수 없는 주택 담보 대출 같은 것을 누군가 받으려고 할 때, 그 배우자나 자식의 신청으로 경제 클리닉에서 치료를 받을 수 있게 해 주면 어떨까? 지나친 증권 투자나 과다한 대출은 개개인의 자유라고 하기에는 가족들에게 너무 큰 상처를 준다. 그리고 일단 돈을 벌 수 있다는 판타지에 사로잡힌 사람을 식구들이 설득하기가 진짜 힘들다. 특히 가장의 경우, 그 배우자나 자식들이 설명해서 납득시키기가 진짜 어렵다. 그러니 중독 현상이라고 하지 않겠는가?

경제 위기가 길어질 것이라면, 이제는 공적으로 경제 클리닉을 운용하는 것에 대해서 모두가 같이 고민해 보면 좋겠다. 박근혜 정부, 일단 경제는 좀 어렵다고 보는데 정신적인 고통만이라도 좀 줄일 수 있는 방안을 같이 찾아보자. 경제 클리닉이 한 가지 방법이라고 생각한다. 지나친 소비와 지나친 투자, 자신만이 아니라 가족을 모두 위험에 빠뜨린다. 담배보다 무섭다.

세계 최초 언론 협동조합 탄생 의미

지난 2012년 12월 협동조합기본법이 제정되면서 협동조합 설립이 매우 활발해졌다. 그해 7월 31일 기준으로 2,261개의 협동조합이 신고서를 제출했다. 서울이 660개로 월등히 많다. 경기가 280개, 광주 201개로 그 뒤를 잇고 있다. 5인 이상이 모이면 협동조합을 설립할 수 있게끔 법이 바뀌고 나서 특히 많이 늘었다. 현재는 5,000개를 넘어섰다. 협동조합 붐이라고 말할 수 있을 것 같다. 그렇지만 과연 이러한 흐름이 한국 경제에 작은 반향이라도 일으킬지, 좀 더 나아가 한국 자본주의의 성격을 바꿀 수 있을지 아직 판단하기는 쉽지 않다.

국민경제 지탱하는 세 개 다리 중 하나

나는 협동조합은 국민경제를 지탱하는 세 개의 다리 중 하나라고 생각한다. 국가가 무엇인지, 경제에서 무슨 의미를 가지고 있는지 우리는 너무 익숙하게 잘 알고 있다. 한국 경제의 발전 자체가 개발독재라는 양상을 가지고 시작됐다. 대통령은 청와대에서 월별 수출 실적을 관리하고 각 기업을 독려했다. 세계은행에서는 이 양상을 '경연 시장(contestable market)'이라고 부른 적이 있었다. 경쟁은 존재하지 않지만 국가가 중재해서 일종의 콘테스트를 벌인다는 의미다. 열심히 수출하거나 성과를 보인 기업은 국가가 "예쁘다."고 칭찬해주고, 그 대가로 수출금융 등을 통해 자금을 지원했다. 흔히 유신 경제라고 부르는 박정희 시대에 국가는 모든 것을 결정하고, 모든 것을 이끌어 가는 역할을 했다. 한국의 강력한 국가주의는 이런 역사적 전통에서 시작된 것이 아닐까 싶다. 초기의 자금 축적 역시 차관을 쥐고 있는 국가가 좌지우지했다. 그뿐만이 아니다. 여전히 금융을 결정하는 것은 공무원들이고, 그들 눈 밖에 나면 정말 추울 수밖에 없다.

1998년 IMF 경제 위기 이후 시장이 무엇인지도 우리가 똑똑히 경험하지 않았나? 말은 시장이지만 사실은 독점 혹은 과점적 지위를 가지고 있는 재벌들을 시장이라고 부른다. 업종별로 독과점화된 이 시장 주도적 기업들이 만들어 내는 폐해를 지칭하는 여러 가지 이름이 있다. 신자유주의라는 이름이 보편적으로 사용되는 것이고, 기업의 의사 결정 구조에 맞추면 주주자본주의라는 이름으로 불리기도 한다. 독과점적 위치에서 벌어들이는 독점 이윤을 재투자하거나 고용을 늘리는 데 사용하지 않고 오로지 주주들의 배당금을 높이는 식으로 결정하는 것을 주주자본주의라고 부른다. 1인 1표라는 민주주의 원칙이 주식회사 안에서는 잠시 정지하고 1원 1표가 사용된다. 한국에서는 그나마 주주자본주의도 양반이다. 그 정도의 소유 지분도 가지고 있지 않은 총수 일가가 사사로이 기업을 자신의 전유물처럼 2대, 3대에게 세습하는 것이 지금 우리 형편이다.

좀 더 한국적 특징으로 이 문제를 보면 지난해에 갑자기 튀어나온 갑을 문제 혹은 '갑의 횡포' 형태로 나타난다. 특정 몇 개의 기업이 국가까지 장악해 쥐고 흔들다 보니, 효율성이라는 미명 아래 게임의 법칙을 자기들 편한 대로만 바꾼다. 경쟁과 균형에 의해서 움직이는 시장 메커니즘에서 심판이 없거나, 아니면 심판이 아예 갑의 편에 서게 되는 것은 너무 강력해진 시장의 폐해라고 할 수 있다. 미국 자본주의도 이 정도로 황당하게 움직이지는 않다. 미국 법원은 안티트러스트, 독과점으로 찍힌 기업에 가혹하다고 할 정도로 강력한 제재 조치를 내린다. 그러나 이런 시장 제어 장치들을 없애는 것을 한국 공무원들은 DJ 시절 이후 '규제 합리화'라고 불렀고, 이것을 성장률을 높일 수 있는 전가의 보도처럼 호도해 왔다. 제도를 규제라고 자기들 마음대로 부른 지난 15년, 한국은 공룡들이 우글거리는 밀림이 되었다. 진짜 경제적인 의미에서 '쥐라기 공원'이 아닐 수 없다.

지난 민주화 과정에서 진행된 민주화 논의는, 국가와 시장이라는 두 가지 축으로 본다면, 국가를 장악해서 시장을 제어하자, 그런 식으로 이해할 수 있다. 그래서 국가 기구를 총괄하는 대선이 중요하고, 그 대선으로 나아가는 중간 단계로 총선을 이해하고, 그보다 하위 단계로 지방선거를 이해했던 게 우리의 선거 이해 방식이 아니었던가? 국가 기구를 누가 장악할 것인가, 그 문제에 모든 촉을 세웠다. 그러나 과연 국가만 장악하면 모든 문제가 해결될 수 있을까? 아니, 선거에 이겼다고 해서 국가를 장악하는 것이 과연 가능할까? 그런 질문을 해 보지 않을 수 없다. 대통령이 임명하는 수많은 자리를 활용해서 많은 변화를 만들어 낼 수는 있다. 그렇지만 그런 변화들을 뒷받침할 수 있는 경제적·물리적인 기반이 없는 한, 경제와 괴리된 정치는 언제나 외로울 뿐이고, 그 고독한 개혁은 늘 영웅적 개인이 합리적이기를 바라는 위태로운 균형일 뿐이다.

내가 생각하는 국민경제의 세 번째 다리는 아직도 경제학적으로 정립된 이론을 가지고 있지 못한 영역에 속한다. 한국의 경제학과에서 '정상적으로' 학부 공부를 한 학생이라면 협동조합에 대해서 한 번도 듣지 못했을 가능성이 높다. 미국 경제학과에서는 그런 거 가르치지 않는다. 오히려 역설적으로 가장 최근의 MBA 과정, 즉 경영학 대학원에서 공부한 학생이라면 사회적 기업이나 협동조합을 굉장히 중요한 주제로 배웠을 수도 있다. 트렌드는 트렌드이지만, 한국의 경제학과 학부의 시계는 1990년대에 머물러 있기 때문에 협동조합 같은 것은 가르치지 않거나, 아니면 그냥 "그건 일각에서 하는 얘기다." 이렇게 언급하고 넘어갈 가능성이 높다. 유럽의 경우라면 '사회적 경제'라는 이름으로 배웠을 수도 있다.

연대(solidarity)의 경제, 시민의 경제, 사회적 경제 등 다양한 이름으로 불리는 국민경제의 세 번째 다리는 아직 불투명하다. 존재 이유는 물론이고 그 역할에 대해서도 정립된 이론이 없다고 보는 게 맞다. 하지만 지난 2012년은 유엔이 정한 협동조합의 해였다. 내 식으로 보자면, 협동조합은 국가도 아니고 시장도 아닌, 그야말로 제3의 존재이다. 마르크스 이후 스탈린주의자들은 협동조합 경향의 흐름을 '공상적 사회주의'라는 이름으로 불렀다. 그리고 그들에게 계급이 아니라 조합원의 이익만을 추구한다고 하여 조합주의라는 딱지를 붙였다. 간단히 말하면, 혁명을 해야 하는 순간에 혁명이 아니라 자본주의를 어떻게든 고쳐 쓸 수 있다는 망상을 가졌다는 의미로 배신자 취급을 했다. 이런 경향은 한국에서도 1980~1990년대에 상당히 강했다. 협동조합 중 소비자들이 주로 구성하는 생활협동조합의 초창기에 한 살림 협동조합은 중산층 여성들의 사치스러운 소비 행위에 불과하다며, 1980년대를 주름잡던 운동권 남성들의 손가락질을 받기 일쑤였다. 그러나 한국의 생태 운동은 그렇게 운동권 엘리트 남성들의 손가락질과 비아냥 속에서 출발했다.

좌·우파 모두에게 환영받지 못하는 협동조합

정치적인 눈으로 보자면, 협동조합으로 상징되는 시민의 경제는 좌파의 하부 영역이라기보다는 아나키즘, 즉 무정부주의자의 영역이다. 협동, 자치, 이 두 가지를 엮어 주는 키워드는 바로 아나키즘이다. 자본주의와 공산주의 논쟁에서 지친 사람들은 "다 귀찮다. 그냥 정부 없이 살면 안 돼?" 그런 질문을 던지게 되었다. 국가도 피곤하고, 그렇다고 삼성만 바라보면서 살아야 하는 것도 싫은 사람들, 그 힘들은 아나키즘이라는 키워드로 묶인다. 그러나 '정권을 바꾸자'는 강력한 파토스 없이 아나키즘이 하나의 흐름으로 모일 리 없지 않은가? 그래서 이 제3의 흐름은 눈에 쉽게 보이지 않지만 자본주의의 태동과 거의 같은 시기에 조합과 공동체의 흐름이 등장했다. 세탁기라는 발명물 자체가 오웬 공동체에서 등장한 것 아닌가.

보수에서는 최근의 협동조합이 좌파들의 음모라고 생각하는 듯싶다. 협동조합기본법을 발의한 손학규가 언제부터 한국에서 좌파로 이해되었는지 잘 모르겠다. 따지고 보면, 한국 좌파들도 협동조합을 안 좋아한다. 혁명의 배신자이고 개량주의자라는 딱지를 수십 년간 덕지덕지 붙여 놓았다. 사회적 경제의 이론적 기반인 칼 폴라니나 증여경제론의 마셀 모스, 이런 이름만 나오면 레닌의 배신자라고 했던 그 강렬한 스탈린주의자들의 영향이 여전히 한국 사회에서는 강하다.

이런 와중에 진보 언론의 중요한 축을 형성하는 〈프레시안〉이 지난 2013년 주식회사에서 협동조합으로의 전환을 선언하고, 실제로 조합원 총회를 통해서 협동조합으로 전환했다. 도대체 이런 일이 어떻게 가능할까? 비슷한 시기에 〈한국일보〉 사주가 오랜 사내 갈등 끝에 결국 구속되는 일이 벌어졌다. 이런 와중에 〈프레시안〉의 협동조합 전환은 주목하지 않을 수 없는 사건이었다.

그래서 〈프레시안〉을 방문했다. 박인규 이사장을 만나기로 한 날인데, 뭐 내가 늘 그렇듯이, 그날도 늦었다. 솔직히 그에게 엄청난 얘기를 들을 것이라고 기대한 것도 아니고, 정말로 "만나기는 했다." 그런 형식적인 자리가 될 거라는 생각이 강했다. 현직 대표나 이사장 같은 사람들 입에서 내가 모르는 얘기를 듣는 일은 거의 없다. 내가 많이 알아서가 아니라 입조심이 체질화된 그 사람들 입에서 진짜 정보가 나오는 일이 없어서 그렇다.

언론사 〈프레시안〉 2층 난간, 추적추적 내리는 장맛비를 바라보면서 박인규 이사장은 나에게 협동조합 전환의 전부를 알려 주었다. 성공적인 인터뷰였다. 정확히 말하자면, 난 묻지도 않았는데 그가 내가 듣고 알아야 하는 일들을 먼저 얘기한 그런 자리였다. 좌파든 우파든, 내 앞에서는 감추려 하고, 나는 그 감추는 것들을 어떻게든 돌려서 진실을 확인하려 하는 게 내가 겪은 인터뷰였다. 이런 경우는 정말 처음이었다.

사건의 전말을 정리해보자. 대선을 앞둔 2012년 여름, 박인규는 언론사 대표로 〈프레시안〉을 이끄는 것이 너무 인간적으로 피곤한 일이라서 사퇴를 결심했다. 그리고 주요 주주들과 협상해서 편집권은 보장하는 선에서 매각을 결정했다. 언론사도 일종의 상품이라, 팔고 사는 것이 흔한 일이다. 그리고 2013년 초 실제로 그 일을 실행에 옮기려고 하니 〈프레시안〉 기자들이 "그럴 수는 없다."고 반발하고 나선 것이다. 더 이상 경영을 하기 어렵다고 생각한 대표와 주주들 앞에 젊은 〈프레시안〉 기자들이 딱 막아선 그 형국, 도대체 대안은 무엇일까?

"내가 배신 때렸지."

결정적으로 박인규 대표가 젊은 기자들의 의견 쪽으로 쏠리면서 매각으로 결정을 했던 기존 사주들의 방향에 전환이 왔다. 뭐, 어차피 큰돈도 안 되는 인터넷 언론사를 협동조합으로 전환하는 게 배신까지 되는지는 모르겠지만, 어쨌든 박인규가 그야말로 선배로서, 후배 기자들의 강력한 의견에 손을 들면서 한국 최초로, 아니 세계 최초로 독자들이 조합원으로 참여하는 언론 협동조합이 생겨나게 되었다. AP통신사도 협동조합이기는 한데, 그건 제작자들이 조합원으로 구성된 곳이다.

식물언론 시대, 〈프레시안〉의 생존은 미래를 여는 열쇠

삼성과 현대로 상징되는 티라노사우루스 급의 공룡들이 해맑고 밝게 뛰어노는 대한민국 쥐라기 공원에 뮤턴트(mutant), 즉 돌연변이 하나가 이렇게 태어난 것이다. 그리고 이제 막 태동하는 한국 경제의 세 번째 다리, 시민의 경제에 '입' 하나가 장착된 것이다. 협동조합은 누가 대변해 줄 것인가. 스스로 협동조합 언론이 된 〈프레시안〉이 할 것 아닌가. 좋든 싫든, 협동조합은 이제 입을 하나 장착한 셈이다.

이 책을 읽는 독자들에게 '동지적 우정'으로 호소하고 싶다. 언론 협동조합 〈프레시안〉의 조합원이 되어 주시라고! 시장이라는 괴물, 국가주의라는 공포 속에서 경제의 세 번째 다리를 만드는 길 외에 우리가 장기적으로 영광과 번영을 볼 수 있는 방법은 없다. 전두환이 너무너무 밉다는 박정희주의자들이 경제와 언론을 모두 장악한 지금, 〈프레시안〉의 생존이 다음 시대를 여는 열쇠가 아닌가 싶다. 정치적으로는 모르겠지만, 경제적으로는 이 작은 언론사의 생존은 큰 사건이다.

경제학자인 내가 한심해 보이는 이유

최근 모 대부 업체에서 적극적으로 하는 광고 중에 대부 업체를 택시에 비유하는 내용이 있다.

"어떻게 매일 버스랑 지하철만 타. 급하면 택시도 타고 그러는 거지."

대출에 시간이 걸리는 은행과 카드는 버스와 지하철이고, 신청만 하면 바로 대출금이 나오는 대부 업체는 택시라는 것이다. 요금, 즉 이자율은 비싸니까 택시와 같고, 비싼 대신 계획성 있게 짧게 쓰면 된다는 것이다.

그 비유를 그대로 받아들인다면, 이 택시는 아주 오래 전의 영화 〈공포 택시〉에 비견될 정도의 무서운 택시다. 현실에서 버스나 지하철을 주로 타는 사람이 급해서 택시를 한 번 탔다고 해서 다시 버스를 못 타는 일은 없다. 그러나 대부 업체 대출은 다르다. 은행별로 조금씩 차이가 있겠지만, 대부 업체 거래는 개인의 신용도에 결정적 영향을 미친다. 하다못해 카드 현금 서비스도 신용도 평가에 일정 부분 반영이 된다. 조회만으로도 영향을 미치는데, 습관적으로 대부 업체에서 대출을 받으면 은행의 신용 평가에 영향을 미치게 된다. 극단적인 경우 이 '택시'는 다시 버스와 지하철을 타지 못하게 하는, 그야말로 공포 택시가 아닌가?

최근 한국은행의 자료를 보면 1,000조 원 수준의 가계 부채 중 은행권 대출의 비중은 점점 줄어들어서 50.79%로 좀 낮아진 상태다. 그래도 안정적인 대출이 전체의 절반 정도라는 얘기다. 대부 업체를 포함한 기타 금융기관의 대출 비중은 지난해 하반기 이후 지속적으로 증가해서 2013년 2분기에 28.09%대를 돌파했다. 이 정도 높은 수치는 2003년 카드대란 때 28.25%가 나온 적이 있다. 경기가 전체적으로 안 좋다는 것을 제외하면 카드대란처럼 특별한 사건이 있는 것도 아닌데, 이처럼 개인들의 기타 금융기관 대출이 증가하는 것은 지금 서민들의 삶이 어떤지, 정말 너무 명확하게 보여 주는 게 아닌가? 신용등급 7~10등급을 기준으로 하면 문제가 더 심각해진다. 이 중에서 은행에서 대출을 받은 사람은 30%가 채 안 된다.

가난한 사람일수록 신용이 안 좋을 확률이 높고, 결국 힘든 사람들이 더 안 좋은 조건에 더 비싼 금리를 물면서 돈을 쓰고 있는 형국이다. '가난은 나라도 구하지 못한다'고 했는데, 저신용을 중심으로 자료들을 보면 정말로 지금 이 말이 딱 들어맞는다고 하지 않을 수 없다. 수년 전부터 가계 부채를 얘기할 때 단골 메뉴로 올랐던 하우스 푸어는 이런 저신용자들의 크레딧 푸어에 비하면 그래도 사정이 나은 경우에 속한다.

이런 일이 벌어지지 않도록 하기 위해서 '마이크로 크레딧'을 늘리고, 은행권에서도 저신용자들을 위한 소액 대출 상품을 만들자는 얘기들을 수년 전부터 많이들 했다. 그러나 현실은 아예 대부 업체에서 자신들의 상품을 택시에 비유하면서 광고하는 시궁창이 아닌가? 국가에게 무엇인가 정책을 수립해 달라는 것도 이 시급한 상황에서 너무 배부른 얘기처럼 보인다. 택시의 비유를 들어 한마디만 더 하자면, 이 택시를 탔다가는 나중에 기차나 비행기처럼 멀리 가는 교통수단을 탈 수 없게 된다는 것이다. 소심하게, 가능하면 대부 업체 이용하지 마시라고 조언하는 길밖에 없는 내가 참 한심해 보인다.

구질구질하지 않게 살아가기

영어에 'liquid' 혹은 'liquidity'라는 표현이 있다. 유동성이라는 말로 번역되는데, 일상적인 우리말에 딱 들어맞는 번역은 현금이다. 내가 현금으로 이해하는 것은 1년 이내에 동원할 수 있는 벌칙 없는 돈이기 때문이다.

좀 폭넓은 정의이기는 하지만, 내가 말하는 현금은 정기예금을 포함해서 돈을 쓰겠다는 의사 결정이 내려진 다음부터 1년 내에 움직일 수 있는 돈이다. 펀드가 현금이 아닌 것은 대부분 장기 계약에 묶여 있기 때문이다. 보험이 현금이 아닌 것은 원금을 보장해 준다고 해도 해약에 따른 벌칙이 크기 때문이다.

현금을 많이 보유하는 것은 일반적으로는 손해를 많이 보는 전략이다. 물가상승률, 즉 인플레이션이라는 현상이 있기 때문에 현금과 같은 동산으로 재산을 보유하는 것은 그에 따른 이자 지불이 있을 때에만 유리한 일이다. 원칙적으로는 그렇다.

그래서 가급적이면 물가상승률과 같이 움직일 수 있는 부동산이나 골드바, 즉 금과 같은 현물 재산으로 보유하는 것이 유리하다. 아니면 역시 현물 재산처럼 움직이는 주식이나 펀드로 보유하는 것이 낫다. 일반론이고 교과서적인 해석이다.

그럼에도 불구하고 2001년 이후로 나는 현금 보유 전략을 선택해 왔다. 2001년은 내가 마련한 첫 번째 집이었던 다세대 주택을 팔고 아파트를 샀던 해였다. 내가 마지막으로 보유하고 있던 주식은 2007년에 팔았다. 그 이후 나는 주식 거래를 하지 않았다.

펀드에 투자를 한 적은 없다. 펀드 디자인이 내 대학원 학위에 따라붙어 있는 세부 전공이었지만, 정작 나는 펀드에는 돈을 넣어 본 적이 없다. 장기적으로 위험할 것이라고 보았기 때문이다. 그리고 그 시절 나에게 도쿄나 뉴욕에 집을 사겠다고 하는 사람들에게는 차라리 그보다는 골드바를 사라고 조언했다.

그들이 지금도 나에게 고마워한다. 나는 골드바를 사지는 않았다. 경제학자로서 내 양심 때문이다. 그 기간에 나는 목돈은 1년짜리 정기예금을 들었고, 나머지 돈은 국채에 투자하는 단기성 예금인 MMF 예금에 넣어 두었다. 정기예금과 MMF, 그리고 일반예금, 이게 내 돈이 들어가 있는 거의 대부분의 계좌이다. 그리고 아주 조금, 시민 단체와 녹색당 같은 곳의 후원금이 나간다.

그렇게 10년을 보냈는데, 그 결과 나는 먹고 살 만해졌다. IMF 때에는 나도 재산상의 손해를 좀 봤다. 집값도 떨어지고, 주식도 많이 떨어졌다. 2008년, 글로벌 금융 위기 때에는 정말 남의 일 보듯이 지나갔다. 마침 얼마 남지 않은 주식도 이미 전 해에 정리했기 때문에 손해 볼 재산이라고는 없었다.

그렇지만 정말로 내가 먹고 살 만해진 것은, 엄청난 돈을 벌어서가 아니라 돈을 안 썼기 때문이다. 아 참, 자동차는 전부 현금 주고 산다는 원칙이 하나 더 있었다. 통장 안에 돈이 차면 즐겁지, 그 돈이 나가면 즐겁지 않았다.

물론 나도 결혼 전에는 새로운 스피커가 수입되면 '숍'에서 몇 시간 동안 즐기다가 결국 그놈을 집에 갖다 놓고야 마는, 그런 '오됴쟁이'이기도 했었다. 프라이드 왜건을 탔었는데, 차 값보다 카오디오 값이 더 비싼 그런 호사도 누려 본 적이 있다. 현금 보유로 전략을 바꾼 후 나의 소비는 검소해졌고, 그 결과 결혼도 하고 행복도 느끼게 되었다.

나의 독자에게 권해 주고 싶은 것은, 올해가 딱 1년 치 생활비를 먼저 현금으로 확보하는 첫 해가 되었으면 하는 것이다. 돈이 없으면 뭔가 쓰고 싶지만, 1년 치 생활비가 있으면 안 써도 구질구질하지 않다. 그리고 절대로 빚지지 않는 한 해가 되시기를……

박근혜 정부, 주택정책 성공할까?

국토교통부 주택토지실에서 비정기적으로 하는 주거 실태 조사라는 통계가 있다. 상당히 재밌는 수치를 보여 주는 통계라서, 간만에 꼼꼼하게 들여다보았다. 2006년과 2012년 사이, 한국의 저소득층은 오히려 자가 보유 비율이 약간 늘었다. 또 전세가 줄고 월세는 늘었다. 그런데 이 기간 동안 수도권의 저소득층 자가 보유 비율은 줄어들었기 때문에 지방 저소득층의 집 보유 비율이 반영된 것이라고 할 수 있다. 하지만 같은 기간 동안 중소득층의 자가 보유 비율은 줄고, 전세 비율은 같았으며, 월세 비율은 늘어났다. 이 통계는 중간 계층이 집을 팔고 월세로 밀려났다는 사실을 말해 주고 있다. 4% 정도의 변화라서 엄청난 것이라고 하기는 어렵다. 고소득층은 자가 보유 비율이 2%가량 줄고, 그 비율만큼 전세 비율이 늘어났다.

종합해서 정리하면, 저소득층은 집을 사거나 월세로 갔고, 중간 계층은 집을 판 사람들이 월세로, 고소득층은 집을 판 사람들이 전세로 갔다고 할 수 있다. 수도권만 놓고 보면 중간 계층과 고소득층 모두 집을 팔고 전세나 월세로 갔다. 고소득층의 경우만 특이하게 월세(보증부 월세)는 줄고 전세가 늘었다.

박근혜 정부는 2013년 4·1 부동산 대책 이후로 여러 가지 인센티브와 독려 정책을 발표하면서 국민들에게 집을 좀 사 달라고 하고 있으나, 중간 계층 혹은 돈이 있는 사람들이 자기 집을 팔고 전·월세로 옮기는 게 국토부 통계가 보여 주는 현실이다. 6년간의 흐름이 이런데도 실물경제의 큰 반전 없이 갑자기 사람들이 집을 사게 될 것이라고 보는 것, 이런 게 탁상행정이 아니고 무엇이겠는가.

박근혜 정부 주택정책의 골조는 "전세로 떠돌아다니면서 사느니 집 사고 편안해져라."는 말로 압축할 수 있다. 그런데 그 말을 딱 그대로 실천하는 사람들이 통계적으로는 비수도권의 저소득층이다. 반면 중간 계층과 고소득층, 특히 수도권 지역의 소위 중산층 이상은 오히려 추세적으로 집을 팔고 전세나 월세로 가고 있었다. 중간 계층이 월세, 고소득층이 전세라는 약간의 통계상 특이점이 존재하긴 하지만 말이다.

이 통계는 우리에게 중요한 시사점을 준다. 서승환 국토부 장관 등 소위 토건파는 지금 전세로 살고 있는 중간 계층이 집값이 올라가는 징조가 보이면 대출을 받아서든 어떻게든 집을 살 것이라고 판단하고 있는 듯하다. 그러나 그 말이 맞으려면 중간 계층과 고소득층의 자가 보유율 자체는 줄지 않았어야 한다. 그러나 통계는 중간 계층이 자기 집을 팔고 있다는 것을 보여 준다. 즉 문제는 중간 계층 붕괴가 이 사태의 핵심이라는 것이다.

엄청난 투기 국면 아니면 무리해서 집을 구매함으로써 자가 보유 비율을 늘려 줄 중간 계층과 고소득층이 없다, 이렇게 판단하는 것이 맞는 것 아닌가? 국토부 분류로 중간 계층과 고소득층인 사람들의 자가 보유율이 낮아지고 있었고, 오히려 지방 저소득층의 자가 보유율이 높아지고 있다. 그런데 이들은 하우스 푸어일 확률이 높다.

사태를 냉정하고 객관적으로 봐야 한다. 주가 부양으로 주택문제는 물론 경기 부양까지 해결해 보자는 욕심이 있다면 그만 접는 것이 좋을 듯싶다. 마침 총파업에 나선 건설 노동자들의 요구 중 하나가 그런 주가 부양책 그만하고 늪에 빠져 있는 건설사의 구조 조정을 지원하라는 것이다. 지금이라도 방향을 전환하지 않으면, 박근혜 정부의 주택정책은 필패한다. 그게 내가 국토부 통계를 보고 내린 잠정 결론이다.

그 많은 극장비는 어디로 갔을까

수년 전 영화 시나리오 작가가 허망하게 목숨을 잃은 적이 있었다. 그 이후로 영화계 내부 스태프들의 어려운 삶에 대한 얘기가 끊이지 않는다. 최근 한국 영화의 흥행 성적이 괜찮아지면서 뭐가 좀 나아지지 않았을까 싶지만, 그런 흔적은 별로 느껴지지 않는다. 외형적으로는 분명히 매출액이 늘었다. 그리고 전체적으로 마이너스 수익률을 보이던 지난 수년 전에 비하면 수익률도 늘고 있다. 그럼 좀 나아졌어야 할 것 아닌가? 평균의 오류 같은 게 있다. 20여 편 정도만 흑자이고, 여전히 대부분의 영화들은 마이너스이다. 1,000만 영화가 몇 편 나온다고 해서 구조가 나아지지는 않는다.

현장의 시나리오 작가에게 돈이 더 가게 하겠다, 이게 박근혜 대통령이 내건 영화 정책의 핵심 문장이다. 이 문장은 절대 진리에 가깝다. 그러나 이걸 의미 있게 만들기 위해서는 고치거나 변화시켜야 할 부분이 엄청나게 많다.

아주 기본적인 것, 지식 경제의 기본인 시나리오 저작권 문제부터 출발해 보자. 문자로 된 시나리오는 저작권 중에서도 양도가 안 되는 양식이다. 시나리오를 사용하는 사람은 원작에 대한 사용권만을 갖는 게 맞다. 그렇지만 사용권에 해당하는 판권이라는 말로 저작권 자체를 양도받은 것으로 이해하는 게 업계 관행이다. 일본에서 온 관행인데, 아직도 해소가 안 되었다. 시나리오를 사간다는 표현, 이게 말이 안 되는 거다. 시나리오는 사용을 위해 빌리는 것이다.

두 번째 문제는 영화 제작자와 투자사, 즉 영화 만드는 사람들과 영화에 돈을 대는 사람들의 관계이다. 이게 아주 어렵다. 영화 제작자와 관련된 모든 사람들은 제작사와 직 · 간접적으로 계약을 맺는다. 그리고 이 통로로 들어오는 돈이 사실상 제작자들의 손에 들어오는 돈의 전부이다. 그리고 투자사는 자기에게 돈을 대는 다양한 형태의 펀드들과 계약을 맺고 있다. 민간과 공공의 돈이 복잡하게 얽혀서 영화 투자비로 들어온다. 또 다른 한편으로는 배급사와 투자사 사이의 계약서가 있다. 여기에 전국 2,000개가 넘는 상영관과 맺는 계약이 추가된다. 정리하면, 제작사 쪽으로 일련의 계약이 있고, 투자사 쪽으로 또한 일련의 계약이 있는 것이다.

이 모든 걸 다 투명하게 하고, 누군가 관리·감독을 하면 중간에 황당한 일들을 줄이고, 결국 돈이 흘러 시나리오 작가에게까지 가도록 할 수 있다. 그런데 사태의 어려움은 바로 이 투자자와 극장이 한

몸이라는 사실이다. 전문용어로는 수직 계열화라고 부른다. 아주 익숙한 재벌 시스템이 여기에도 존재한다. 제작 과정은 회계 정산 등을 통해서 이제는 세계 최고라고 할 정도로 투명하게 되었지만, 투자자와 펀드, 투자자와 배급사 사이에 어떤 계약이 있는지, 어떤 방식으로 정산을 하는지 아무도 모른다.

그래서 벌어진 일은? 수년 전 『문화로 먹고 살기』를 쓸 때에도 극장 관객당 제작사가 받는 돈이 3,000원 내외라고 했는데, 그 후 극장비가 꽤 올랐지만 여전히 3,000원 안팎이다. 개봉 후 극장 측에서 수익률을 임의로 조정해도 당장 아쉬운 게 감독과 제작사라 그냥 꾹 참고 넘기는 수밖에 없다. 말 한마디만 잘못하면 '퐁당퐁당'이라고 부르는, 건너뛰면서 상영하는 방법 등 극장이 감독을 괴롭힐 수단은 수없이 많고 다양하다. 그 '기법' 또한 기발하다. 당하는 수밖에 없다.

대통령의 뜻이 시나리오 작가에게 있으니 공정거래위원회가 드디어 현장에 떴다. 지금 필요한 것은 누굴 벌주는 게 아니라 바로 투명한 방식의 제도 개선과 모니터링 시스템 마련이다. 이런 과정을 통해서 시나리오 작가와 현장 스태프들에게 단돈 1만 원이라도 더 가게 될 것인가? 많은 사람들이 숨죽이고 지켜보는 중이다.

맺는말

증오가 아닌, 우리가 만들고 싶은 미래, 우리가 맞이해야 하는 세상에 대한 기다림 같은 것으로 삶을 살 수는 없을까? …… 우리나라도 1인당 국민소득이 3만 달러를 바라보는 순간인데, 지난 수십 년간 살아온 그 아웅다웅, 악착같은 그 삶의 양식과는 좀 다른 방식으로 살아 볼 수는 없을까? '성숙'은 그런 고민 속에서 만들어진 말이다.

1.

분노 속에서 누군가를 비판하기는 그렇게 어렵지 않다. 그렇지만 제대로 비판하기는 쉽지 않다. 특히 논쟁이 가능할 수 있는 형태로 비판하기는 더더욱 어렵다. 그럼에도 불구하고 무엇인가 잘못된 것에 대해서는 지적하고, 다른 형태로 전환할 수 있는 노력은 해야 한다고 생각한다. 비판이 쉬운 일인 것 같지만, 비판을 하기 위해서는 에너지와 정성이 필요하다.

비판보다 더 쉬운 것은, 아무것도 하지 않는 일이다. 비판하지 않아야 할 이유를 만드는 것은, 더더욱 쉽다. 자신에게 별로 이익이 되지 않고, 귀찮고, 그럼에도 불구하고 보람만이 있는 일, 그런 일을 하지 않기 위한 이유를 찾는 것은 정말로 쉽다. 좋은 사회를 만들기 위해서 해야 할 무엇, 그 일을 하지 않을 이유는 우리 모두는 금방이라도 100개는 만들어 낼 수 있을 것이다. 늘 바쁘고, 돈도 없고, 돌봐야 할 것도 많고, 재미도 없고, 또 그게 그렇게 잘 될 것 같지도 않고…… 이건 재가 싫어서 안 되고, 저건 또 얘가 싫어해서 안 되고,

어렵죠, 이건 또 내가 싫네!

그래서 우리는 특별나게 무엇인가를 하지 않을 이유를 만들기 위해서 하루를 살아가는 것인지도 모른다. 그러다 보니, 이명박 시대를 넘어 박근혜 시대를 살게 되었다. 이 시대가 이래서는 안 된다는 것들을 우리 모두는 조금씩 혹은 어렴풋이 생각하지만, 사회는 그 동안에 계속해서 이상해지고 있다. 어디에서 출발점을 찾아야 할까? 우리는 무엇을 해야 할까? 나라고 다른 사람들과 뭐 특별히 다른 삶을 살 리가 없지 않은가? 이 시대, 먹먹하고 답답한 것은 나도 마찬가지이다.

2.

그래도 어쩌겠나. 농부가 헐벗은 땅에 씨 뿌릴 준비를 하면서 봄을 기다리는 것과 같은 심정으로, 대선 이후에 별로 하고 싶지 않은 생각들을 억지로라도 하면서 조금씩 다시 분석을 시작하고, 조금씩 글을 써 내려가기 시작하였다. 그렇게 6개월이 지나고, 1년이 지나고 나니, 무슨 생각을 더 하고, 어떤 분석을 더 해야 하는지 조금씩 생각이 나기 시작했다.

한 가지 확실하게 알게 된 것은, 더 이상 분노 위에 내 생각을 세우지 말자는 것이었다. 분노는 순간적으로 많은 에너지를 끌어올릴 수 있게 도와주고, 더 많은 집중력을 준다. 그리고 많은 사람들이 동시에 한 방향을 볼 수 있게 만들어 준다. 그러나 그 지속 시간은 아주 짧다. 그리고 그 분노가 지나간 이후, 더 큰 허무가 생겨난다. 무엇보다도, 그렇게 분노로 모인 사람들이 서로에게도 상처를 주게 된다는 문제점이 있다. 다른 사람에게만 상처를 주고, 자기편에게는 상처를 안 주는 그런 초절정 정밀 무기는 세상에 존재하지 않는다. 그리고 많은 경우, 남에게 상처를 준 자신에게도 지워지지 않는 상처가 남는다. 그래서 서로 상처를 가지게 되고, 그 상처로 인하여 마음속에 더 많은 분노가 생기게 된다. 분노는 다시 분노를 낳고, 그래서 결국 아무도 아무에게 손을 내밀어 "사랑한다."고 말할 수 없는 상황이 된다. 그리고 그걸 지켜보는 사람들이 다시 새로운 상처를 받는다.

'싸우면서 정든다'는 말은 부부나 애인 사이에는 가능할지도 모른다. 아주 많은 시간, 어쩔 수 없이 보게 되는 가족과 같은 사이가 아니면, 싸우다 보면 점점 더 증오가 커지고, 그 증오가 새로운 분노를 만들어 내게 된다. 한국 자본주의의 지난 역사가 그랬다. 70년대, 80년대에도 증오가 많았다. 그리고 1997년 정권 교체 이후, 또 다른 증오가 싹텄고, 2007년 12월 이후, 분노가 더 많이 커져 갔다. 다른 편과도 싸우고, 같은 편끼리도 싸우고, 계속해서 갈라지고, 그러면서 상황은 점점 더 안 좋아졌다.

3.

증오가 아닌, 우리가 만들고 싶은 미래, 우리가 맞이해야 하는 세상에 대한 기다림 같은 것으로 삶을 살 수는 없을까? 이런 생각을 더욱 많이 하게 되었다. 재밌고, 즐겁게, 그렇게 남은 삶을 살 수는 없을까? 우리나라도 1인당 국민소득이 3만 달러를 바라보는 순간인데, 지난 수십 년간 살아온 그 아웅다웅, 악착같은 그 삶의 양식과는 좀 다른 방식으로 살아 볼 수는 없을까?

'성숙'은 그런 고민 속에서 만들어진 말이다. '성숙 자본주의'와 '바른 성장'이라는 두 가지 용어를 놓고, 내가 아는 보수 쪽 사람들에게 물어보았다. 100이면 100, 성숙 자본주의가 훨씬 좋다는 것이다. 반대로 진보 쪽 사람들에게 물어보았다. 의견이 좀 갈리기는 하는데, '바른 성장'에 대한 선호도가 확실히 높았다. 영어로는 '정치적으로 올바른'(politically correct)라는 말과 성장을 결합시킨 것인데, '올바른'의 어감이 너무 강해서 '올'은 떼어내고 '바른'으로 약간 순화시킨 것이다. 그래도 보수 쪽 사람들은 이 단어를 듣자마자, "그래, 너만 옳고, 나는 못됐다, 그 얘기를 하자는 거지?" 이런 느낌이 든다고 얘기했다. 더 넓게 확산시키고, 더 많은 사람들이 사용할 수 있게 하기 위해서는 '바른 성장'이 더 효과적일지도 모른다. 너와 나의 편을 확실하게 가르고, 이렇게 해서 사람들을 움직이게 하는 데에는 '바른 성장'이 더 효율적이라고 생각한다.

그러나 나에게 양심이 있다. 누군가를 강하게 매도하고, 특별한 이유 없이 나쁜 사람으로 몰아갈 생각은 없다. 그래서 나는 결국 '성숙 자본주의'라는 단어를 선택했다. 이 개념이 가진 가장 큰 약점은, 웃기지 않는다는 점이다. 성숙이라는 단어를 놓고, 금방 웃음이 터져 나올 문장을 쓰거나 우스운 얘기를 연결시키기 쉽지가 않다. 그래, 여기까지가 나의 한계이다, 그렇게 인정할 수밖에 없었다.

4.

그래도 이제는 비장함은 좀 버리려고 한다. 우리는 지금 위기의 한 가운데 있다. 이미 두 번의 대선을 졌고, 다음 번 대선도 이길 가능성이 별로 없다고들 한다. 그러면 또 어쩔 거냐? 인상 쓰고 비장하게 생각한다고 해서 뭐가 바뀌는 것도 아니고, 없는 정책이 갑자기 튀어나오는 것도 아니고, 시민들의 마음이 단번에 바뀌는 것도 아니다. 하는 데까지 하고, 그 상황을 받아들이는 정도의 담담함은 가지려고 한다.

이 담담함 위에 즐거움이 고이고, 행복해서 웃지 않을 수가 없는 그런 시대가 꽃 필지도 모른다. 나는 그런 날을 희망한다. 움베르트 에코의 『장미의 이름』은, 그 자체로는 그렇게 배꼽 잡을 정도로 웃기는 소설은 아니다. 그렇지만 그 소설만큼 코미디의 중요성을 강조한 소설도 없을 것이다. 사라진 아리스토텔레스의 『시학』 2편이 바로 코미디에 관한 것이었다는 가설을 가지고 만들어 낸 에코의 소설은, 웃는 것을 '불온한 사상'으로 간주하던 중세의 암울한 분위기를 잘 그려 주고 있다. 물론 그렇다고 해서 『장미의 이름』이 엄청나게 웃긴 책은 아니다. 살인이 난무하고, 음모가 난무하는 그런 '장중한' 분위기의 책이다. 에코의 유머가 폭발한 것은 『세상의 바보들에게 웃으면서 화내는 방법』이라는 그의 에세이집이었다.

언젠가는, 나도 에코처럼 통쾌하게 그런 에세이들을 써 보고 싶다. 그러나 나는 아직은 그런 수준에 가지도 못했고, 그런 재밌는 얘기를 할 만한 능력도 없다. 어쨌든 '성숙'에 관한 이번 책을 정리하면서 가졌던 약간은 무거운 마음을, 이 맺는말과 함께 털어 버리려고 한다. 다음 에세이집은 『잡놈들의 전성시대』라는 제목으로 써 보려고 한다.

'Duming soon!'

(영화 '덤 앤 더머 2'의 예고편에 나온 duming이라는 표현은 내가 본 영화 예고편 표현 중에 가장 웃기는 것이었다.)

성숙 자본주의

성숙과 퇴행, 갈림길에 놓인 한국경제

초판 1쇄 펴낸 날 2015년 3월 5일

지은이 우석훈
펴낸이 이광호
펴낸곳 도서출판 레디앙
디자인 나무디자인 정계수

등록 2014년 6월 2일 제315-2014-000045
주소 서울 강서구 공항대로 481(등촌동, 2층)
전화 02-3663-1521 **팩스** 02-6442-1524
전자우편 redianbook@gmail.com

ISBN 979-11-953189-1-9 03320